PASSEPORT
POUR UNE
VIE NOUVELLE

Ce livre a été originellement publié aux Éditions Loup-Garou durant le troisième trimestre de 1979.

Du même auteur:
Les 33 leçons du bonheur, © Édimag inc., 1999

C.P. 325, Succursale Rosemont
Montréal (Québec), Canada H1X 3B8
Téléphone: (514) 522-2244
Télécopieur: (514) 522-6301
Courrier électronique: pnadeau@edimag.com

Éditeur: Pierre Nadeau

Dépôt légal: troisième trimestre 2000
Bibliothèque nationale du Québec
Bibliothèque nationale du Canada

L'éditeur bénéficie du soutien de la Société de développement des entreprises culturelles du Québec pour son programme d'édition.

Nous reconnaissons l'aide financière du gouvernement du Canada par l'entremise du Programme d'aide au développement de l'Indus-trie de l'édition (PADIÉ) pour nos activités d'édition.

PASSEPORT
POUR UNE
VIE NOUVELLE

**Pour vous aider à vous prémunir
contre les tensions inutiles et nuisibles
de la vie moderne**

Louis-N. Fortin

Édimag inc. est membre de l'Association nationale
des éditeurs de livres.

DISTRIBUTEURS EXCLUSIFS

Pour le Canada et les États-Unis
Les Messageries ADP
955, rue Amherst
Montréal (Québec) H2L 3K4
Téléphone: (514) 523-1182
Télécopieur: (514) 939-0406

Pour la Suisse
Transat S.A.
Route des Jeunes, 4 Ter
C.P. 1210
1 211 Genève 26
Téléphone: (41-22) 342-77-40
Télécopieur: (41-22) 343-46-46

Pour la France
Librairie du Québec / DEQ
30, rue Gay-Lussac
75005 Paris
Téléphone: (1) 43 54 49 02
Télécopieur: (1) 43 54 39 15
Courriel: liquebec@cybercable.fr

Avant-propos

«A vingt ans, on affirme; à trente ans, on doute; et à quarante ans, on s'aperçoit finalement qu'on ne sait rien.» Après avoir travaillé plus de cinq ans à la préparation de ce livre, je suis de plus en plus convaincu qu'en ce qui nous concerne, nous les humains, la plupart de nos découragements, de nos embarras, de nos échecs, de nos soucis et de nos tensions, proviennent surtout de nos perturbations continuelles et de notre inadaptation aux lois équilibrées et harmonieuses de la vie.

Très souvent, nos décisions sont prises alors que nous sommes sous l'influence de tensions nombreuses et néfastes. Alors que logiquement, nous devrions être maître de nos pensées et de nous-même, nous ne sommes, bien souvent, que le piètre esclave de nos émotions. Ce qui, par voie de conséquence, nous empêche de vivre pleinement et joyeusement notre vie. Bien plus, cet état peut, si nous n'y prenons garde, nous causer de nombreux torts au cours de notre brève existence, et finalement être la cause directe d'une vie gâchée.

Ce livre n'est pas le reflet d'une idéologie quelconque ou d'une toute nouvelle science. C'est plutôt le fruit d'une observation attentive des règles qui gouvernent toute vie lorsqu'elle est harmonieusement vécue. Si vous n'y apprenez rien de nouveau, vous découvrirez par contre comment il est possible, et souvent facile, avec un peu de bonne volonté, de vivre une vie équilibrée, joyeuse et remplie de nombreuses réalisations.

Ce livre vous montrera jusqu'à quel point il est tout à fait réalisable, pour quiconque le VEUT sincèrement, de vivre d'abord en paix et en harmonie avec soi-même et ensuite avec les autres, avec tous les autres.

Amour de la vie et sérénité: voilà les voeux très sentis que je formule à l'intention de tous ceux qui liront cet ouvrage que j'ai écrit en ne cessant de m'examiner moi-même d'abord [bien que cet examen ait donné lieu à de nombreuses surprises désagréables] afin d'appliquer dans ma propre vie les principes d'équilibre et d'harmonie qui y sont énoncés.

Prenez le temps de bien vous pénétrer de chaque chapitre et, à votre tour, vous ne tarderez pas à comprendre comment il est possible, même à notre époque de vie trépidante où tout est remis en question, de connaître enfin ce mode de vie heureux et équilibré auquel nous aspirons tous. De vivre en somme une existence qui soit à la fois conforme aux lois de la nature et intimement reliée à l'Auteur éternel de nos jours et de tout ce qui nous entoure.

Si vous remarquez une certaine tendance à la répétition en parcourant les divers chapitres de ce livre, ne vous en alarmez surtout pas. Sachez bien que le tout a été soigneusement réfléchi et voulu ainsi, consciemment agencé, et aussi, rendu nécessaire afin que le lecteur puisse se pénétrer à fond de toute l'importance qu'il y a à bien comprendre jusqu'à quel point peut être subtil, surtout en ce qui concerne l'individu non informé, l'assaut des nombreuses tensions et nombreux découragements qui ne manquent pas de nous assaillir jour après jour tout au long de notre existence. Cette répétition n'est pas vaine; elle est primordiale pour quiconque tient absolument à se prémunir contre les nombreuses tensions inutiles et nuisibles de la vie moderne.

Si j'insiste tant pour donner une dimension spirituelle à mon exposé, c'est parce que plus je vis, plus je réalise et suis fermement convaincu que tout être humain, quel qu'il soit, qui aspire au bonheur véritable et à une totale joie de vivre, doit donner une profonde dimension spirituelle à sa vie et puiser de tout son coeur et de tout son être à la grande source de toute vraie spiritualité. Quiconque n'apporte qu'une dimension matérielle à sa vie est souvent très vite déçu et ne manque pas de subir de nombreuses tensions inutiles et nuisibles.

Au fur et à mesure que vous progresserez dans votre lecture, vous constaterez jusqu'à quel point il est sage et raisonnable de donner une dimension spirituelle à sa vie; car le corps et tout le monde matériel qui nous entoure ne sont pas la clé du vrai bonheur et de la joie de vivre, mais simplement la continuité de l'esprit et du domaine spirituel. Et pour se prémunir efficacement contre l'avalanche de tensions inutiles et nuisibles de notre époque, qui ne cessent de nous assaillir jour après jour, il importe de se cramponner aux seules vraies valeurs: les valeurs spirituelles. «Un esprit sain dans un corps sain»: voilà la toute petite phrase qu'il faut absolument comprendre si l'on veut s'assurer ce bonheur total et cette joie de vivre auxquels nous aspirons tous.

Ce livre n'est pas un chef-d'oeuvre littéraire et j'en suis parfaitement conscient. Je demande donc au lecteur de ne pas trop s'attarder sur l'aspect technique de l'exposé, mais plutôt de saisir l'essence même de chaque chapitre. Et cette essence ne manquera pas d'apparaître dans toute son évidence à l'ami lecteur qui veut sincèrement se prémunir contre le découragement et les nombreuses tensions inutiles et nuisibles de notre époque.

Bonne lecture à tous!

Louis-Nil Fortin

Signification de la photo
de la page couverture

Les désagréments et les déceptions de la vie trépidante actuelle sont autant de causes à nos soucis, à nos moments de découragement et à l'envahissement de tout notre être par les nombreuses tensions inutiles qui sont toujours malsaines et souvent dangereuses pour quiconque les subit.

Grâce à l'examen et la mise en pratique des conseils raisonnables et équilibrés renfermés dans cet ouvrage, vous serez heureux de voir s'estomper les nuages de soucis, de doutes et de découragement qui semblent parfois vous envahir de toute part. Et au fur et à mesure que ces nuages se disperseront, soît toutes ces tensions inutiles que vous subissez chaque jour, un merveilleux soleil de calme, de paix et de tranquillité d'esprit s'élèvera à l'horizon de votre vie; ceci, au point d'illuminer votre esprit, votre coeur, et finalement tout votre être, de sérénité, de joie de vivre et d'un bonheur nouveau jusqu'alors insoupçonnés.

La photo qui apparaît sur la page couverture de ce livre a été prise au bon moment et au bon endroit; ceci, afin de pouvoir bien exprimer toute la pensée et le message de paix intérieure, de tranquillité d'esprit et de joie de vivre qui se dégage tout au long de l'exposé que vous allez lire. Cette photo exprime donc bien le thème de cet ouvrage qui se veut, et j'espère qu'il en sera bien ainsi pour vous, votre PASSEPORT POUR UNE VIE NOUVELLE.

L'auteur.

1

Les tensions excessives de la vie moderne

«L'homme ne meurt pas, il se tue.» Cette phrase de Sénèque est tout à fait appropriée si l'on considère qu'à notre époque, plus de cinquante pour cent des lits de nos hôpitaux sont occupés par des personnes souffrant de diverses maladies ayant une origine émotive. Les nombreux troubles nerveux dont est affecté l'ensemble de notre population, les ulcères, les troubles digestifs et de constipation chroniques, la plupart des maladies coronariennes, l'hypertension, les migraines, certaines formes d'arthrite, d'obésité ou de maigreur, et combien d'autres maux encore ne sont, bien souvent, que des «maladies modernes» dont il faut chercher la cause dans les multiples tensions devenues le lot quotidien d'une vie trépidante et souvent mal vécue.

Il importe de toujours se méfier de ses émotions et de cultiver l'art de les maîtriser; et surtout, d'apprendre à en faire de fidèles servantes et non des maîtresses malfaisantes. Il est désormais clairement établi que les émotions mal contrôlées sont, la plupart du temps, la source de nombreuses tensions excessives; ce qui, finalement, ne peut qu'engendrer l'une ou l'autre des diverses maladies physiques ou mentales qui sont bien caractéristiques de notre époque.

Tout se déroule tellement rapidement de nos jours que pour l'individu moderne, il semble humainement impossible d'adapter son rythme à l'accélération de l'histoire. Il a fallu plus de cinquante-neuf siècles avant de parvenir à l'ère fortement industrialisée que nous connaissons, et voilà que tout d'un coup, en quelques générations, l'homme moderne a inventé l'automobile, l'avion, les fusées qui lui permettent de visiter d'autres planètes; il a perfectionné l'art d'assassiner légalement, sous le couvert de la guerre, plus de cinquante-six millions d'êtres humains en l'espace de moins de trente ans; il a déclenché la pollution atmosphérique et mentale qui ne cesse de nous envahir; il a élaboré une nouvelle morale qui, bien souvent, ne tient aucunement compte de la conscience humaine; il a trouvé le moyen de remettre en question toutes les anciennes valeurs du passé; et combien d'autres «nouveautés modernes» pourrait-on énumérer encore. Il y a à peine trente ans, un adolescent devait travailler dur pour défrayer le coût de son éducation et de sa formation, et voilà que l'adolescent d'aujourd'hui boude ses parents et les accuse même de cruauté mentale s'ils ne peuvent lui fournir l'argent nécessaire qui lui permettra de s'acheter des cigarettes ou un «joint».

Dans notre vingtième siècle finissant où tout arrive en même temps, l'individu est littéralement «tiraillé» de tous les côtés à la fois. En plus de s'efforcer d'absorber toutes les nouveautés et techniques modernes, et surtout, de s'y adapter, l'individu de notre vingtième siècle finissant doit apprendre à se déraciner de la vie tranquille de la ferme et s'adapter à la vie stressante et beaucoup trop rapide des grandes cités. La famille moderne n'a pas le choix: elle doit apprendre à sacrifier sa tranquillité pour se résigner à vivre dans le bruit incessant des grands édifices et des rues bruyantes des grandes villes.

En plus de se faire imposer une nouvelle morale d'occasion qu'on peut accommoder à toutes les sauces, il faut se dépêtrer dans la confusion religieuse actuelle où tout est systématiquement remis en question, y compris l'existence même de Dieu. Ce qui était un péché il y a moins de vingt ans est devenu presque une mode aujourd'hui. La procréation hors mariage, l'infidélité conjugale, la désertion du foyer, l'usage de la drogue sur la place publique, la consécration de l'homosexualité, le refus de travail pour se laisser entretenir par les autres, le mensonge, le vol, le mépris de la parole donnée, l'indifférence religieuse: ce ne sont là que quelques-unes des attitudes de pensée et de vie qui sont devenues «normalisées» avec le modernisme asservissant que nous connaissons.

11

Il y a à peine quelques années, c'était gênant, et même humiliant, de déclarer avoir des dettes, même minimes; et voilà qu'aujourd'hui, c'est devenu embarrassant de ne pouvoir présenter une carte de crédit au magasin ou au restaurant. Il ne faudrait tout de même pas perdre de vue qu'une carte de crédit se change automatiquement en carte de débit chaque fois qu'on l'utilise.

Qu'on veuille l'admettre ou non, l'individu de notre époque, quels que soient l'âge, la race ou le statut social, est, mentalement et physiquement, dans l'impossibilité de pouvoir absorber toutes les tensions apportées par une société moderne, laquelle ne cesse de heurter de plein fouet les valeurs morales acquises et la conscience même de chacun. Il est humainement impossible d'acquérir tous les biens matériels présentés par une publicité qui se fait de plus en plus insidieuse; impossible de lire et digérer mentalement tout ce qui s'écrit; impossible de s'impliquer dans tous les organismes sociaux; et combien d'autres impossibilités encore, mais qui sont quand même imposées à l'homme, la femme, l'adolescent, la jeune fille et aussi la famille de notre époque.

Afin de pouvoir refréner la somme de tensions qui l'assaillent sans relâche, l'individu moderne se doit d'agir sur deux plans: apprendre à faire des choix afin de ne s'occuper que des choses qui méritent une attention réelle, et **apprendre à s'adapter** au mode de vie actuel, lequel est souvent perturbé et générateur de nombreuses tensions inutiles. Il apparaît évident, surtout lorsqu'on examine la situation actuelle, que la plupart des gens éprouvent de sérieuses difficultés à agir sur ces deux plans, soit apprendre à faire des choix, et aussi apprendre à s'adapter à la vie trépidante de notre époque. Ceci est évident si l'on considère le fait que beaucoup de nos semblables sont de plus en plus tendus, de plus en plus perturbés mentalement et physiquement, et aussi de plus en plus indécis et découragés. La plupart du temps, ce que l'on croit être bon pour soi s'avère, tôt ou tard, la source de nouvelles tensions et de difficultés supplémentaires. C'est donc là un indice qui démontre qu'il n'est pas toujours facile de faire des choix et de s'ajuster à tout ce qui nous entoure; et à moins d'obéir à des règles de vie qui soient à la fois harmonieuses et équilibrées, cela est même impossible.

Etant donc mal préparé pour pouvoir agir sur les deux plans mentionnés plus haut, l'individu doit donc subir les nombreux effets désastreux de l'excès de tension de notre époque. Et finalement, le tout se répercute en tensions inutiles et excessives, en pressions qui le serrent de toutes parts, en perturbations émotives et en malaises physiques qui ne tardent pas à faire leur apparition chez l'être mal préparé. C'est malheureux, mais c'est là le lot quotidien de la plupart de nos contemporains.

Dans le passé, qui n'est quand même pas tellement éloigné de nous, il était relativement aisé pour nos grands-parents de se départir, ou se «défouler», de leur surplus de tension: la vie se déroulait de façon beaucoup moins rapide et les durs travaux ne manquaient pas. Mais tout n'est pas aussi facile pour nous qui vivons à une époque où les problèmes engendrés par la rapidité de la vie moderne ne manquent pas, et où les durs travaux manuels qui requièrent de l'énergie musculaire se font de plus en plus rares.

Eric Taylor, dans son excellent ouvrage intitulé **Fitness After Forty** (Quarante ans, l'Age d'Or), décrit assez bien la situation difficile dans laquelle nous nous trouvons tous. Il explique que «les savants du monde entier multiplient les recherches pour nous éviter le moindre effort, comme si l'oisiveté et la sédentarité étaient un but enviable, ou plutôt une sorte de promotion! On peut philosopher à l'envie sur cet état de choses, écrit-il, mais, on ne saurait le nier, l'homme moderne ne travaille plus avec son corps, ses muscles ne lui servent plus à assurer son existence. Nous en sommes arrivés à ce point que, pour rétablir ou conserver l'équilibre de la santé, il nous faut nous adonner à l'exercice par le jeu.»

Et s'il importe de s'adonner au jeu et à l'exercice physique pour permettre l'évacuation de l'excédent de tension apporté par la vie moderne, que dire de tous ces «sportifs» de la télévision dont la seule activité durant toute une soirée ne consiste, bien souvent, qu'à marcher jusqu'au réfrigérateur pour aller prendre une «autre bouteille»?

Est-il alors surprenant de constater que, malgré tous les efforts d'une science moderne qui s'efforce de nous aider à vivre plus longtemps, notre espérance de vie et notre état de santé ne se sont pratiquement pas améliorés depuis le dernier siècle écoulé? Voici, à ce sujet, ce qu'a déclaré, il n'y a pas tellement longtemps, un grand spécialiste des artères, le docteur H. Sinclair:«Nous sommes tous fiers de vivre à l'âge de la médecine moderne mais, en ce qui concerne les maladies qui surviennent dans la deuxième partie de la vie, la médecine n'a pas fait grand progrès depuis cent ans. L'espérance de vie de l'homme, à partir de quarante ans, n'est que de trois ans supérieure à celle de l'homme de même âge il y a cent ans. Ceci, en dépit des progrès réalisés dans les domaines de l'hygiène, de l'anesthésie et de l'antisepsie, de la chirurgie, de la chimie hormonale; en dépit des médicaments nouveaux et des antibiotiques».

Et ce spécialiste des artères ajoute que «les maladies dont on mourait vers 1860 étaient très différentes de celles dont on meurt le plus souvent aujourd'hui. Autrefois, on mourait de tuberculose, de pneumonie et, beaucoup plus rarement, de crise cardiaque ou de cancer. De nos jours, d'ajouter le docteur Sinclair, la tuberculose et la pneumonie ont un pourcentage d'issue fatale relativement faible; mais les maladies chroniques de dégénérescence, et certaines formes de cancer, se rencontrent de plus en plus fréquemment et entraînent la mort dans bien des cas. On s'explique donc, de conclure le médecin, que l'espérance de vie de l'homme contemporain n'excède guère celle de ses grands-parents.»

Nos ancêtres, lorsqu'ils étaient en colère, tendus ou déçus, ne manquaient pas de dures besognes à effectuer pour se libérer de leur excès de tension ou de stress; ce qui se faisait par voie d'écoulement normale, c'est-à-dire par le travail musculaire. Mais il n'en est pas ainsi de nos jours: l'individu qui n'apprend pas à vivre en harmonie avec lui-même, ni à s'ajuster aux lois équilibrées de la vie et de la nature, voit souvent son excédent de tension accumulé s'écouler par d'autres voies, soit les voies les plus faibles et les plus vulnérables de l'organisme: le coeur, l'estomac, le duodénum, l'intestin, le pancréas, les artères, le sang, la peau, le système nerveux, etc. Ce ne sont là que quelques-unes des «voies de secours» qu'empruntent les tensions accumulées pour s'écouler de l'organisme. Nous n'avons qu'à consulter les colonnes nécrologiques de notre journal quotidien pour nous rendre compte, par la liste de plus en plus impressionnante des morts prématurées, des conséquences irrémédiables que peuvent entraîner les tensions excessives et mal contrôlées de la vie moderne.

Il est certain que dans la vie, un certain degré de tension, ou de stress, s'avère utile, nécessaire même. On peut comparer la tension ou le stress aux cordes d'un violon. Des cordes trop détendues ne seront d'aucune utilité pour la production de sons agréables et mélodieux. Par contre, des cordes convenablement et raisonnablement tendues aideront le violoniste à bien maîtriser son instrument de musique. Et si les cordes sont tendues à l'excès, ce surplus de tension ne pourra que suivre son cours normal, c'est-à-dire que les cordes se briseront là où elles sont le plus fragiles. On peut encore comparer les tensions, ou le stress, aux épices. Des aliments non épicés sont fades, ils n'ont pas de goût comme on dit. Et s'ils sont trop épicés, ils deviennent amers et quasi immangeables. Par ailleurs, on sait combien il est agréable d'absorber une nourriture bien apprêtée et convenablement épicée. Il en est de même pour un cheval de course. S'il est trop détendu juste avant une course, il n'a aucune possibilité d'arriver vainqueur; et s'il est trop tendu, il risque de manquer son départ et ne parviendra qu'à piaffer ou à se cabrer. Cependant, le cheval qui est convenablement et raisonnablement tendu pour une course a de bonnes chances, grâce à la bonne utilisation de sa tension, d'arriver vainqueur. Finalement, on peut encore comparer la tension à la vapeur qui permettait aux locomotives de faire tourner leurs roues et d'avancer. Lorsqu'il n'y avait pas de vapeur dans les chaudières, la locomotive restait immobile. Par contre, trop de vapeur dans les chaudières constituait un risque d'explosion. Cependant, le degré convenable de vapeur permettait à l'engin d'effectuer son travail.

Il n'est pas déraisonnable d'affirmer que le manque de tension c'est la mort; et que l'excès de tension, c'est l'incapacité d'agir. Cependant, un degré de tension convenable, voilà qui permet à toute créature d'agir, d'oeuvrer et d'évoluer. Comme une certaine dose de tension est nécessaire, et même essentielle, au chanteur, à l'orateur, au boxeur, au conducteur de camion ou au chirurgien, il en est de même pour chacun de nous: un degré de tension raisonnable et adapté selon les besoins et circonstances, voilà qui rend possible la réalisation de la vie.

Si une certaine attitude de «qui-vive» est tout aussi nécessaire et utile à l'individu moderne qu'elle l'était à l'homme des bois, le fait, par contre, d'être constamment tendu et en proie à un stress de tous les instants, qu'il soit causé par la colère, l'envie, le besoin imaginaire ou l'ambition mal placée, est loin d'être recommandable pour qui que ce soit; c'est même un état dangereux. Et comme l'a déjà si bien souligné Dale Carnegie dans un de ses livres «Triomphez de vos soucis», les hommes d'affaires qui ne savent pas surmonter leurs soucis (ou dominer leur tension) meurent jeunes; et cela est tout aussi vrai pour les ménagères, les étudiants, les médecins, les ingénieurs, les éboueurs, et même les chômeurs.

Croyant, ou espérant résoudre leurs divers malaises, la plupart des personnes tendues ont recours à tous les divers palliatifs ou «béquilles» chimiques et engourdissantes qui ont fait leur apparition dans les pharmacies durant ces derniè- res années. Les fabricants de ces petites «pilules- miracles», bleues, vertes ou jaunes, font des affaires d'or avec tous ces individus tendus qui ne savent pas comment employer ou évacuer leur surplus de tension accumulée. Quelle société merveilleuse! Après nous avoir permis l'accession à toutes ces commodités modernes que nous connaissons, et nous avoir exemptés de tous les travaux exigeant de l'énergie musculaire, même sur le champ de nos distractions, voilà que cette même société merveilleuse nous fournit maintenant le moyen «miraculeux» de nous départir, comme par enchantement, de toutes les tensions accumulées à force de ne plus agir.

Il importe cependant de comprendre que même si ce procédé, qui consiste à faire appel à la drogue «légale», peut sembler apporter une certaine solution instantanée au problème de l'accumulation de tension, il s'agit là d'une solution bien éphémère et artificielle. Car si le calmant «miraculeux» engourdit momentanément les facultés mentales et physiques, au point de croire qu'il y a soulagement réel, il ne résout absolument pas le problème qui est à l'origine de l'excès de tension accumulée. Et dès que l'effet de la drogue s'est estompé, on se retrouve en plus mauvaise situation qu'avant, puisqu'un temps précieux, qui aurait pu être employé à régler le problème de base, lequel est générateur de tension, a ainsi été inutilement perdu et gaspillé. Bien plus, la drogue «calmante» empêche même d'agir, étant donné que la faculté d'action est inhibée par la drogue.

Donc, étant donné qu'il est, d'une part, impossible de fuir la société moderne autrement que par l'une des voies qu'ont déjà choisie les nombreux suicidés de notre époque, ou encore, en changeant de planète, ce qui ne saurait apporter de solution au problème de la tension puisque le problème et le moyen de le résoudre sont en chacun de nous et qu'on ne peut se fuir soi-même; étant donné, d'autre part, qu'il faille s'adapter à tout ce qui nous entoure afin de puiser le plus de bonheur et de joie de vivre durant notre brève existence, il est donc nécessaire, et même essentiel, de nous soumettre à certaines règles de vie qui peuvent nous aider à nous accommoder d'une situation qui n'est quand même pas forcément condamnable dans tous les domaines. Car notre système moderne, bien qu'il soit générateur de nombreuses tensions, peut nous permettre de connaître une vie beaucoup plus agréable que celle que nos ancêtres ont connue, si nous apprenons à nous ajuster à son rythme et à y puiser toutes les bonnes choses qu'il a à nous offrir. Une chose est certaine: nous vivons l'époque la plus enrichissante de l'histoire depuis la création du monde, et il n'appartient qu'à nous d'apprendre à vivre afin de profiter pleinement de toute la somme de connaissances pratiques accumulées par les générations précédentes.

Il faut agir comme le boiteux qui apprend à ajuster son rythme de marche à son infirmité; ou encore, comme l'aveugle qui apprend à ajuster son handicap au monde dit normal qui l'entoure. Combien de sourds et muets sont quand même capables de conduire une automobile malgré leur double handicap! Combien de personnes démunies physiquement: manchots, culs-de-jatte, paraplégiques, ont réussi à adapter leur allure au rythme de vie normal que nous connaissons, et ont pu ainsi connaître une longue existence remplie d'heureuses réalisations et de joie de vivre.

Nous vivons dans un monde où l'on compte plus de 1,500 langues et dialectes, et pourtant, les humains de tous les pays ont appris à s'adapter et à faire ainsi des affaires entre eux, bien que ces différences de langages soient un sérieux obstacle. S'il est possible, dans quelque domaine que ce soit, de s'accommoder d'une situation, en s'y ajustant, il est tout aussi possible de s'accommoder du rythme de vie actuel, même s'il est générateur de bien des tensions. S'il est humainement impossible de changer le système actuel, il est par contre possible, pour chacun de nous, de modifier sa façon de penser en y apportant les correctifs qui s'imposent et qui permettront de s'ajuster au rythme de la vie moderne.

Dans les divers chapitres de ce livre, après avoir brièvement examiné les effets néfastes d'une vie vécue dans un état de tension continuelle, vous apprendrez comment il est tout à fait possible, même à notre époque, de s'ajuster, de s'adapter et de s'accommoder au rythme de la vie moderne que nous connaissons. Bien plus, vous découvrirez, grâce à l'application, dans vos attitudes et habitudes de vie, des principes de vie énoncés abondamment dans les chapitres qui suivent, comment il est aisé de profiter pleinement de tout le bonheur que peut réserver la vie moderne à tous ceux et celles qui apprennent à maîtriser, à harmoniser et à équilibrer leur propre vie personnelle.

Et en guise de récompense de l'application, dans votre vie de tous les jours, des principes équilibrés que vous ne manquerez pas de découvrir tout au cours de cet ouvrage, vous aussi serez pleinement prémunis contre les nombreux découragements, perturbations, soucis et tensions inutiles qui ne cessent d'assaillir de toute part l'individu de notre génération. Bien plus, vous serez pleinement en mesure de profiter du merveilleux don de la vie, car la vie vaut vraiment la peine d'être vécue, et elle devient vite une passionnante aventure lorsqu'on s'adapte à son rythme et qu'on apprend à coopérer avec elle.

2

Les tensions de la vie moderne et leurs ravages

Dans notre monde où la plupart d'entre nous sommes dirigés par nos émotions et nos impulsions plutôt que par la logique et la raison, il ne faut pas se surprendre du fait que nous devons subir, à un moment ou l'autre de notre existence, l'un ou l'autre des effets néfastes des tensions apportées par la vie moderne.

Combien de problèmes ne sont que le fruit de tensions mal contrôlées. Combien de querelles, qui tournent souvent très mal; de troubles conjuguaux et familiaux, de cas de suicides, de décisions non réfléchies et de vies brisées ne sont que le triste résultat des trop fortes tensions subies surtout lorsque ces dernières sont mal contrôlées.

Parlant de l'une des conséquences d'une vie constamment vécue dans un état de tensions permanentes, la revue Marketing Social, dans son édition de novembre-décembre 1973, soulignait ce qui suit: «C'est évident que les maladies chroniques qui affligent aujourd'hui le Nord-Américain d'âge moyen tiennent davantage à la pression de chaque jour et à la tension qu'au régime riche en protéines, à la cigarette ou au manque d'exercice physique.» On peut même affirmer que le pire ennemi, et aussi le plus dangereux, de l'être actif de notre époque, que cet individu soit notaire, policier ou secrétaire, c'est le fait de vivre dans un état constant de trop fortes tensions.

Dans notre siècle de la vitesse, être trop laborieux, trop ambitieux, trop rigide, trop perfectionniste, et le fait de trop insister sur ses droits, voilà une menace constante pour la vie. Le fait de vivre continuellement sous pression ne tarde pas à donner naissance à des réactions qui conduisent très vite un individu à subir des anomalies nerveuses ou chimiques dans son organisme. De là au développement de toute une kyrielle de maladies, en passant par l'asthme, l'eczéma, ou les diverses affections coronariennes, il n'y a qu'un pas.

Que dire de l'accroissement épidémique des maladies cardio-vasculaires que nous constatons à notre époque, lesquelles maladies furent responsables, en une seule année aux Etats-Unis, de plus de 266,000 décès? Plus d'un quart de million de morts prématurées avant l'âge de soixante-cinq ans! A ce sujet, voici ce que déclara la revue précitée: «Les maladies cardio-vasculaires prédominent non seulement parmi les gens âgés mais même chez ceux qui sont en-dessous de soixante-cinq ans.» Dans le même article qui traite du sujet, on ajoute que «les hommes d'âge moyen sont plus vulnérables que les femmes d'âge moyen; et en effet, des 266,000 Américains, jeunes ou d'âge moyen, décédés par suite de ces maladies, 183,000 - près de 70 pour cent - étaient des hommes». Et, concernant les statistiques pour l'année 1971, toujours aux Etats-Unis, la même source d'information déclara que «des 700,000 personnes mortes de maladies coronariennes, en 1971, aux Etats-Unis, presque 200,000 étaient âgées de moins de soixante-cinq ans.»

On n'a qu'à penser à tous ceux que nous avons connus et qui sont morts prématurément pour se rendre compte des effets néfastes causés par les tensions excessives et mal contrôlées subies par l'individu moderne. Un des exemples les plus flagrants qui ne peut manquer de nous faire réfléchir sur le danger de devoir se soumettre à de trop fortes doses de tensions est certainement le cas du pape Jean-Paul 1er, lequel est mort subitement et prématurément un mois seulement après sa «prestigieuse» ascension. Pourtant, des examens médicaux pratiqués quelques semaines seulement avant son décès laissaient voir un état de santé considéré comme «normal». Tenant compte de cet exemple récent qui a bouleversé le monde entier, il n'est certainement pas vain d'affirmer que l'accumulation de tension peut, dans de nombreux cas, s'avérer un danger mortel pour quiconque les subies.

Que dire maintenant de toutes ces autres maladies physiques et mentales, lesquelles font souvent leur apparition chez des personnes soumises à de trop fortes tensions durant des périodes de temps prolongées? Ulcères du duodénum, mauvaise digestion à cause de spasmes d'estomac, élévation du taux de cholestérol sanguin, constipation chronique, déséquilibre émotif et mental, et combien d'autres maux encore pourrions-nous citer! Ces maux, et de nombreux autres, ne sont, bien souvent, pas autre chose que des maladies qui se déclarent à la suite de diverses perturbations subies par des personnes tendues et mal adaptées au rythme de vie intense de notre époque actuelle.

Le fait que nos asiles psychiatriques et nos pénitenciers soient remplis à pleine capacité n'est certainement pas sans avoir un lien étroit avec toutes les tensions mal contrôlées apportées par notre siècle de la vitesse et du changement; tensions mal contrôlées par des êtres mal préparés. Tout observateur avisé ne manque pas de constater qu'à notre époque, de nombreux crimes non prémédités ne sont que les tristes conséquences de tensions qui deviennent trop intenses.

A la question: «Pourquoi les femmes souffrant de rhumatisme arthritique ont-elles des maris affectés d'ulcères digestifs?», la revue Marketing Social, dans le numéro précité, répond en mentionnant qu'à ce sujet, une enquête a révélé qu'«une certaine atmosphère d'hostilité existait entre les époux. Si la femme, habituée, par son éducation, à mériter l'approbation sociale ou l'estime de son entourage, ne recevait pas ce tribut de son mari, en retour, elle ne lui apportait pas, par suite de son ressentiment personnel, cet appui psychologique indispensable au fort des événements.»

Combien de personnes, soumises aux trop fortes tensions de la vie moderne, cherchent un soi-disant refuge dans les drogues pharmaceutiques, ou encore, dans l'alcool; et finalement, ces mêmes personnes se retrouvent sur la voie conduisant directement à l'alcoolisme ou à ce besoin irrésistible de drogues que connaissent les narcomanes. C'est, là encore, un des effets néfastes des tensions inutiles et excessives subies par des individus mal préparés ou qui ne savent pas comment s'en prémunir.

Bien que nous soyons tous assez bien renseignés au sujet des effets néfastes causés par les tensions excessives de la vie moderne, il est certainement approprié, surtout pour le bénéfice de tous ceux et celles qui tiennent à conserver leur jeunesse le plus longtemps possible, d'attirer l'attention sur un autre effet néfaste de la tension lorsqu'elle est excessive et mal contrôlée. Hans Selye, le savant qui effectua de longues recherches sur le stress et ses conséquences, arriva à la conclusion suivante: «Il y a deux âges, le chronologique, qui est absolu, et le biologique, qui est l'âge réel. Il est étonnant, de déclarer le savant, de voir combien ils (ces deux âges) diffèrent.»

Commentant cette déclaration d'Hans Selye, la revue Marketing Social souligne que «le stress (la tension excessive) est un PUISSANT agent de vieillissement; pour certains, il empêche de refaire le plein, de régénérer les tissus.» Ne serait-ce que pour cette seule raison, soit le fait que l'accumulation de trop fortes tensions est un puissant agent de vieillissement, il vaut vraiment la peine de s'efforcer d'apprendre à cultiver les moyens qui permettent de les contrôler, ou mieux encore, de s'en prémunir.

Vous voulez paraître jeune et le demeurer le plus longtemps possible? Vous tenez à vous prémunir contre le fléau sans cesse grandissant des maladies cardio-vasculaires de notre époque? Vous ne voulez pas ruiner votre existence à la suite d'un geste inconsidérément posé dans un état de trop fortes tensions? Vous souhaitez profiter d'une longue existence qui soit à la fois heureuse et joyeusement vécue au sein d'un foyer calme et uni? Si ce sont là vos désirs et les souhaits les plus sincères que vous formulez, alors, GARE aux tensions inutiles et excessives de la vie moderne et à leurs effets néfastes!

3

Apprenez à quitter
la piste à temps

Sans doute êtes-vous au courant du fait que les grandes pistes de courses d'automobiles modernes sont équipées, au niveau des virages les plus dangereux, de voies de secours. Ces voies permettent au conducteur qui se rend compte à la toute dernière minute qu'il ne pourra pas effectuer un virage sans risque d'accident de quitter la piste, tout en continuant à piloter son bolide en droite ligne. Il est vrai qu'en agissant ainsi, le conducteur sera disqualifié et devra abandonner la course, mais au moins, il aura pu éviter un accident qui aurait pu lui être fatal. Ce même conducteur, qui a eu le bon sens de quitter la piste à temps, aura la vie sauve, ce qui est bien plus important que le simple fait de participer à une course, si prestigieuse soit-elle.

Dans une course automobile, un bon conducteur ne tentera jamais l'impossible dans un virage dangereux. Il foncera directement dans l'issue de secours et n'hésitera pas à quitter la piste plutôt que de risquer inutilement sa vie. Un conducteur prudent et sage sait qu'il y aura encore de nombreuses autres courses auxquelles il pourra participer, et il est conscient qu'il doit demeurer en vie pour être en mesure de concourir. Par contre, combien de mauvais conducteurs, trop audacieux, ou ambitieux, trouvent bêtement la mort en tentant à tout prix d'entreprendre un virage trop dangereux.

Un bon boxeur agit aussi de la même façon. S'il se sent raisonnablement impuissant devant un adversaire plus habile que lui, il reste tout simplemet allongé sur le plancher jusqu'à ce que l'arbitre ait terminé son compte jusqu'à dix. Un bon boxeur sait qu'il est préférable de perdre un combat que de sacrifier inutilement sa carrière, ou même, de perdre sa vie.

Il en est de même dans la course de la vie. Chacun de nous ressemble à un conducteur de bolide qui participe à une course, la course de l'existence. Et chacun de nous est le conducteur de son bolide, c'est-à-dire de soi-même et aussi de sa vie. Le fait de vivre dans un état constant de forte tension, de vivre à un rythme effréné, voilà qui est aussi dangereux que de conduire une voiture de course à grande vitesse sur une piste comportant de nombreux obstacles. Et lorsqu'un tournant dangereux se présente, la tension devient trop forte, et c'est souvent dans les courbes trop prononcées de l'existence que de nombreux conducteurs connaissent une mort prématurée.

Au lieu de vous soumettre à un excès de tension inutile, ou encore, de risquer inutilement votre vie, agissez donc comme un bon conducteur prudent et sage, c'est-à-dire apprenez à quitter la piste «avant» que ne survienne un accident, lequel peut vous être fatal. Fatal pour votre tranquillité d'esprit, fatal pour votre calme intérieur, fatal pour votre bonheur conjugal et familial, et fatal aussi pour votre vie. Lorsque vous vous trouvez confronté à un obstacle ou à trop d'occupations, ce qui vous oblige à vivre continuellement dans un état de tension, pourquoi vous obstiner à prendre des risques inutiles avec votre bonheur ou votre vie même?

Apprenez donc à quitter la piste à temps et choisissez avec amour cette voie de secours, c'est-à-dire cette voie du repos, de la vacance, de l'évasion ou même celle de la démission. Lorsqu'après son élection comme pape, Jean-Paul 1er s'est rendu compte que cette nouvelle fonction était effectivement beaucoup trop lourde pour ses capacités, il aurait certainement été plus sage pour lui de démissionner de son poste et de continuer à vivre à l'intérieur des limites de ses capacités, plutôt que d'insister à entreprendre un tournant trop prononcé de sa vie, ce qui le tua. On ne peut qu'espérer que cet exemple puisse faire réfléchir tous ces conducteurs du véhicule de leur vie qui insistent pour se risquer dans un virage trop prononcé, lequel virage peut s'avérer être le dernier tournant de leur existence. Combien de jeunes cadres et chefs d'entreprises ont ainsi connu une mort prématurée, tout simplement parce que leurs nouvelles fonctions constituaient un virage beaucoup trop prononcé pour eux.

Au moment de la révision de ce chapitre, un ami de l'auteur est décédé subitement à la suite d'une crise cardiaque, alors qu'il n'avait que quarante-huit ans. Cet «ambitieux» avait, il y a de cela quelques mois, accepté avec joie la fonction de directeur général des ventes de l'entreprise qu'il représentait. Quelle promotion, n'est-ce pas?

Peut-être qu'en acceptant de quitter la piste dès que vous vous rendez compte qu'il vous sera impossible d'entreprendre un virage beaucoup trop prononcé pour vos capacités, soit le fait d'accomplir une tâche qui devient un fardeau pour vous et non plus une charge normale, subirez-vous une certaine perte; que ce soit une perte de prestige, d'avantages matériels ou autre, mais au moins, quoi qu'en penseront ou diront «les autres», vous serez toujours en vie et peut-être aurez-vous, en ayant agi ainsi, sauvé votre bonheur conjugal et familial, et aussi votre joie de vivre et peut-être même votre vie. Voilà qui est de bien plus grande valeur que tous les postes de prestige et avantages matériels qui puissent vous être offerts, si prometteurs soient-ils.

Dans la course de votre existence, n'oubliez jamais ce sage proverbe: «Mieux vaut un chien vivant qu'un lion mort.» Ce n'est pas faire preuve de courage, ni avoir le «sens du devoir» comme on dit, que de risquer son bonheur, sa tranquillité d'esprit, son calme intérieur, ou sa vie, pour un peu de prestige qui n'est, bien souvent, qu'une forme de flatterie personnelle sans rien apporter de tangible à qui que ce soit. On peut se demander à QUI et à QUOI peut bien servir le fait de se tuer littéralement au travail ou dans une ambition mal placée? Ce qui est plutôt un signe de grand courage, c'est de pourvoir quotidiennement, de façon raisonnable et équilibrée, aux besoins affectifs, physiques et spirituels des siens; d'améliorer de jour en jour ses qualités intérieures, et de se mériter la véritable estime de ses semblables. Etre courageux et responsable, c'est de ménager ses forces pour être en mesure de vivre le plus longtemps possible afin de se rendre utile et agréable, autant pour ses proches que pour toute la communauté. Car en somme, si vous vous épuisez ou rendez malade en insistant pour réussir «à tout prix» un tournant trop prononcé pour vous, vous ne deviendrez plus qu'un fardeau et ne serez plus d'aucune utilité pour personne.

Il y a de cela environ deux ans, à Québec, un homme travailla très dur afin de se construire une maison très luxueuse, la maison de ses rêves. En plus de son emploi régulier, cet homme consacrait toutes ses soirées et ses week-ends à la construction de son petit «château». Sa femme et ses enfants durent faire de nombreux sacrifices, en plus de l'aider, afin d'endurer et supporter ce mari et père qui vivait constamment dans un état de tension excessif. Finalement, après plus de six mois de durs labeurs et de sacrifices, toute la famille se prépara à déménager dans la nouvelle demeure, laquelle était, il faut bien l'admettre, fort luxueuse. Notre homme, ambitieux comme pas un, se coucha le soir tout fier de pouvoir enfin rentrer dans son château. Il se coucha, s'endormit, mais ne se réveilla pas le lendemain matin. Il était mort durant la nuit, terrassé par une crise cardiaque. Cet homme avait bêtement et inutilement sacrifié sa vie aux dieux «ambition» et «matérialisme» de notre époque. Voilà l'exemple d'un autre mauvais conducteur, et le sort fatal qu'il a connu en se risquant dans un tournant beaucoup trop prononcé et dangereux pour lui; tournant qui l'a finalement tué. On ne devrait pas dire que c'est le tournant lui-même qui l'a tué, mais plutôt le risque insensé que cet homme a pris.

Au lieu d'affronter un obstacle qui s'avère au-delà de vos moyens et de vos capacités, apprenez à imiter le chevreuil qui s'enfuit ou la couleuvre qui disparaît dans les herbes lorsqu'ils se sentent menacés. Vous aussi, quittez donc la piste à temps et cessez de braver des événements qui peuvent facilement avoir raison de vous. Combien de ces «braves d'un jour» sont morts durant les deux grandes guerres mondiales qui ont profondément et inutilement marqué à jamais notre siècle! Ces soi-disant héros auraient fait preuve de beaucoup plus de courage en insistant pour rester neutres dans des conflits insensés et en demeurant avec leurs femmes et leurs enfants. Et aujourd'hui, nous récoltons les tristes fruits d'enfants privés de la présence et de la discipline d'un père.

Lorsque vous êtes en proie à un excédent de tension ou de stress, ou que vous vous sentez pressé de toutes parts, tel un citron, apprenez donc à quitter la piste en vous absorbant dans une voie de secours quelconque: soit le jardinage, la lecture d'un livre distrayant, la détente dans un bon fauteuil tout en vous laissant bercer au son d'une musique de votre choix, une bonne promenade en campagne, des vacances, du bricolage, une randonnée en forêt avec la famille, un pique-nique au grand air, quelques jours à flâner à la maison ou en restant au lit aussi longtemps que vous le désirez, une visite à des amis, etc, etc. En y réfléchissant bien, vous ne manquerez certainement pas de découvrir de nombreuses «voies de secours» qui sont là à votre portée et qui peuvent vous épargner bien des complications inutiles, et même vous sauver la vie. En un mot, absorbez-vous dans une activité qui vous permettra, tout en régénérant vos forces mentales et physiques, et même nerveuses, d'écouler votre excédent de tension. Oui, apprenez à quitter la piste, c'est-à-dire la routine quotidienne; et surtout, faites-le avec une bonne conscience, sans trop vous soucier des qu'en dira-t-on. Sachez bien que VOUS SEUL, oui VOUS SEUL, êtes le conducteur de votre bolide de course et VOUS SEUL connaissez le rythme ou la vitesse qui lui convient sur la piste de course de l'existence. Vous vous connaissez bien et vous êtes le seul être au monde qui soit bien placé pour connaître vos capacités physiques, ainsi que vos limites nerveuses et mentales. N'allez surtout pas développer un quelconque sentiment de culpabilité si vous décidez de vous «évader» ou de «quitter la piste» pour quelque temps; ou encore si vous refusez d'entreprendre une certaine tâche dont VOUS SEUL savez qu'elle est au-delà de vos possibilités et que pour VOUS, elle pourrait constituer un virage trop prononcé et dangereux.

En ceci, apprenez à demeurer à votre place dans le rouage de la vie qui bat, tout comme les différentes parties du corps humain. Le petit orteil du pied gauche ne fait pas une dépression nerveuse parce qu'il n'est pas un oeil. Comme il en est de toutes les parties du corps humain, qu'elles aient des privilèges de services honorables ou qu'elles accomplissent des tâches beaucoup plus humbles, lesquelles collaborent toutes ensemble afin de constituer un organisme merveilleusement agencé; vous aussi, apprenez à demeurer à votre place tout en accomplissant humblement la tâche qui vous a été confiée par la vie. En agissant ainsi, vous serez grandement prémuni contre les virages trop prononcés de l'existence.

Si par contre, vous tenez à braver tous les virages de l'existence, si dangereux soient-ils, il serait peut-être sage de vous empresser de mettre de l'ordre dans vos affaires et de commencer à vous choisir un entrepreneur de pompes funèbres, ce qui évitera bien des ennuis à votre veuve. Car un bon matin, on lira peut-être votre nom parmi la longue liste de tous ces «braves» qui ont connu une mort prématurée. Et après votre enterrement, qui s'occupera de votre conjoint, de votre famille et de vos nombreux biens matériels? Ou encore, qui profitera joyeusement de tout ce que vous aurez accumulé mais dont vous n'aurez pas eu le temps de profiter? Quel sacrifice inutile! Et surtout, quelle bêtise!

N'allez surtout pas croire que vous serez plus apprécié si vous acceptez de vous soumettre à un rythme de vie qui soit constamment tendu ou de vous tuer au travail. En général, les gens n'apprécient guère la compagnie des gens tendus, et la vie se déroule à un rythme tellement rapide à notre époque que les morts sont vite oubliés. Alors, en votre qualité de conducteur avisé et prudent de VOTRE bolide de course, soit de VOTRE vie, agissez donc sagement en apprenant à quitter la piste à temps, avant de vous risquer dans un tournant trop prononcé qui pourrait vous être préjudiciable et même fatal. Et, par amour pour VOUS, pour votre famille et pour vos semblables, absorbez-vous, dès que vous en sentez le besoin, dans la «voie de secours» qui vous conviendra le mieux.

4

Sachez ralentir:
le repos aussi
est essentiel

Afin de permettre à son avion de s'élever dans les airs, le pilote fait tourner les moteurs à pleins gaz; mais une fois l'envol accompli, il réduit les gaz pour, finalement, adopter une vitesse de croisière. Imaginez ce qu'il adviendrait des moteurs s'ils devaient tourner à pleins gaz durant des heures et des heures! Les spécialistes en aéronautique affirment que les moteurs d'avion exploseraient s'ils devaient tourner à leur vitesse maximale durant plus de deux heures.

Il en est de même pour les humains. Il est certain qu'il nous faut parfois donner le maximum de nous-mêmes, que ce soit pour venir à bout d'un obstacle, traverser une difficulté, ou encore terminer un travail urgent. Mais une fois l'obstacle franchi, que l'«envol» est accompli, il importe de réduire le rythme, de «couper les gaz» et d'adopter un rythme plus approprié et modéré, une vitesse de croisière. Autrement, il y a risque de tension quand nous essayons de «tourner à pleins gaz» durant de trop longues périodes de temps.

Si Dieu a pris soin de se reposer à la fin de chacun des jours de son oeuvre créatrice, c'était sans doute pour nous donner un excellent exemple de repos et de juste équilibre à imiter. Dans l'ancien système juif, la loi hébraïque ordonnait qu'une année sabbatique soit observée à chaque période de sept ans. Cette année de repos, en plus de permettre au peuple juif de mettre de l'ordre dans les affaires financières des familles de la nation et de se reposer à la suite de six années de durs labeurs, avait aussi pour but d'assurer au sol un repos bien mérité. Car la terre, elle aussi, a besoin de périodes de repos pour reconstituer ses réserves de minéraux, du fait qu'elle doit sans cesse produire des aliments à la fois nourrissants et délicieux. De nos jours, nous sommes à même de mieux comprendre toute la sagesse de cet arrangement lorsqu'on constate jusqu'à quel point un sol qui ne connaît aucun répit ne tarde pas à épuiser ses réserves minérales; et c'est souvent pour n'avoir pas respecté cet ancien régime théocratique que nos aliments sont souvent très pauvres en matières nutritives essentielles.

Même si, à notre époque, le travail immodéré semble être le lot de nombreuses personnes, n'empêche que le repos est, et sera toujours, une nécessité biologique absolue pour l'être humain. Partout, où que nous regardions, l'univers entier, animé ou inanimé, nous donne de nombreuses leçons sur la nécessité du repos. Dieu le premier nous en a donné l'exemple lors de l'accomplissement de son oeuvre créatrice; le peuple juif était tenu d'observer un sabbat à chaque période de six jours, un repos sabbatique tous les sept ans, et une année de grand jubilé à chaque période de cinquante années; la terre, elle, a besoin de se reposer; et il en est de même du règne végétal et aussi du règne minéral.

La plupart d'entre nous connaissons bien ces perpétuels «agités» qui, subitement, ont «tourné de l'oeil» tout simplement parce qu'ils n'ont pas su s'arrêter à temps pour profiter de périodes de repos si essentielles. Et où sont-ils maintenant? Ils se reposent enfin! C'est-à-dire qu'ils se décomposent tranquillement dans un endroit calme, discret et très reposant: le cimetière. Tous ceux qui ne tiennent pas compte de la nécessité du repos sont souvent soumis à de très fortes tensions, et la plupart du temps, s'exposent à une mort prématurée. On peut même affirmer que le fait de ne pas apprendre à se reposer, ou de ne pas cultiver l'art du repos, est là un indice de profonde ignorance envers les lois de l'art de vivre. En effet, comment peut-on demander à un individu, si brillant soit-il, d'assumer d'importantes responsabilités s'il ignore, ou ne respecte pas, les lois élémentaires de l'art de vivre, telle celle du repos par exemple?

Par contre, combien nous sommes émerveillés par ces autres individus qui, malgré leurs nombreuses responsabilités, savent se réserver des périodes de repos. Pour eux, le temps réservé au repos leur est tout aussi précieux, sacré même, que celui réservé au travail. Et raremant, oui très rarement, voit-on ces gens-là aux prises avec un problème quelconque de perturbation: dépression nerveuse, tension excessive, troubles émotifs ou organiques. Bien entendu, il ne s'agit pas ici de cette catégorie d'individus qui passent toute leur vie à se reposer; ces derniers sont plutôt des paresseux et ce chapitre ne s'adresse pas du tout à eux.

Comme c'est un art d'apprendre à bien manger, à bien travailler, à bien dormir, à être un bon père ou une bonne mère de famille, ou encore, à être une bonne cuisinière ou un bon chef d'orchestre, c'est aussi tout un art d'apprendre à se reposer. On dit même qu'un homme montre sa sagesse dans la mesure où il sait se ménager des périodes de repos.

Il ne faut pas en conclure que, si une personne dort douze heures par nuit, il s'agisse là d'un exemple de repos à imiter. Non! car dormir est une activité et se reposer est une autre activité. Dormir est une activité essentielle qui permet la restauration des forces nerveuses, et se reposer est une autre activité qui permet la restauration des facultés physiques et mentales.

Quand Thomas Edison se sentait mentalement et physiquement fatigué à la suite de longues heures consacrées à la recherche, il abandonnait tout simplement son travail, se nettoyait une place sur sa table de travail et s'allongeait pour se reposer. Au bout d'une heure ou deux, il se remettait au travail, frais et dispos. Ce savant, même s'il ne dormait que quelques heures par nuit, avait cependant compris et appris à utiliser sagement le repos, et il n'hésitait jamais à s'y réfugier quand le besoin se faisait sentir durant le jour. Et quel en fut le résultat pour ce grand chercheur? Sa longue vie de labeur et ses nombreuses réalisations sont là pour le démontrer.

Dans l'armée, les soldats qui participent à de longues marches en campagne observent des périodes de repos à toutes les quarante ou cinquante minutes de marche forcée, qu'ils soient fatigués ou non. Ces périodes de repos leur permettent d'éviter la fatigue. Le soir, après une longue journée de marche, ces soldats arrivent au campement un peu fatigués, mais ils ne sont pas épuisés. Et après une bonne nuit de sommeil, ils sont frais et dispos pour reprendre la marche le lendemain matin. Si ces soldats ne profitaient pas de périodes régulières de repos durant la journée, ce n'est pas une nuit de sommeil qu'il leur faudrait pour restaurer leurs forces, mais de longues cures de repos dans un hôpital.

A notre époque, combien de personnes sont forcées d'entreprendre des cures de repos dans un centre hospitalier pour refaire leurs forces mentales et nerveuses. Sans trop s'en rendre compte, la plupart des ambitieux de notre époque sont déjà épuisés alors qu'ils n'ont même pas atteint la quarantaine. Par contre, lorsqu'une personne apprend à cultiver l'art du repos, elle n'est jamais épuisée, elle est beaucoup plus productive, et est toujours en mesure de profiter plus pleinement de sa vie.

Ne vivez donc pas comme toutes ces personnes qui, ne sachant pas se reposer, ou s'arrêter à temps, attendent d'être mises K.O. par le travail ou les difficultés. Il est vrai qu'un boxeur qui vient d'être mis K.O. par un adversaire plus expérimenté que lui paraît se reposer; mais on peut dire que dans son cas, il s'agit plutôt d'un repos «forcé». Combien de personnes ne s'arrêtent pas avant d'être tout simplement mises K.O., ou jusqu'à ce qu'un infarctus ne vienne les arracher à leur travail, et très souvent, même à la vie. Une personne qui ne se repose jamais ne peut absolument pas être une personne raisonnable, dans quelque domaine que ce soit. Et nous en avons largement la preuve en consultant la liste de cette armée de ratés et de ceux que la mort est venu faucher alors qu'ils étaient encore dans la fleur de l'âge. Par contre, l'individu qui sait s'arrêter à temps en se réservant des périodes régulières de repos, celui-là est plus productif, plus efficace, et aussi vit beaucoup plus longtemps; non seulement vit-il plus longtemps, mais il connaît une vie plus intensément vécue dans la joie et le bonheur. Ce genre d'individu ne fait pas qu'exister, il mord à belles dents dans tout ce que la vie a de beau à offrir.

Lorsqu'on prévient la fatigue, on prévient les soucis. Il n'est rien de pire que de forcer son organisme à déployer des efforts jusqu'à ce qu'il soit «rendu à bout» comme on dit. Avant que ne se manifeste la fatigue, il importe de se reposer.

Combien d'accidents de la circulation, souvent mortels, se produisent parce qu'un conducteur a insisté pour rouler encore «un peu plus loin», alors qu'il aurait dû se reposer un peu et reprendre ensuite la route.

Il importe de prendre du repos car c'est toujours lorsque l'organisme est trop fatigué, ou épuisé, qu'il est le plus fragile; et c'est souvent durant des périodes de fatigue intense que se développent diverses maladies.

Donc, avant que ne se manifeste la fatigue, reposez-vous. Apprenez à vous réserver des périodes régulières de repos et considérez ces périodes comme sacrées. Les anciens Israélites qui étaient surpris à travailler le jour du sabbat étaient mis à mort. Même si de nos jours, il n'existe plus de loi religieuse condamnant à la lapidation ceux qui travaillent sept jours par semaine, les lois de la nature et de la vie se chargeront, tôt ou tard, de «lapider» ceux qui ne savent pas se ménager des périodes régulières de repos.

Si vous êtes une secrétaire, soumise à un travail mental exigeant toute votre attention, apprenez à vous réserver de brèves périodes de repos durant la journée. Vous verrez comment ce procédé revivifiera vos facultés mentales, ce qui, en retour, vous permettra de reprendre votre travail avec beaucoup plus d'enthousiasme et de clarté d'esprit. Un écrivain français, âgé de soixante-quinze ans, en arrive encore à écrire des livres à succès à cet âge respectable. Dans une récente interview, cet écrivain déclara qu'il écrivait environ dix pages par jour. Cet homme a apprit l'art du repos méthodique, et c'est grâce à cette technique si ses facultés mentales sont toujours aussi alertes malgré ses soixante-quinze ans.

Quels que soient votre emploi, votre profession, votre âge, apprenez à restaurer vos facultés mentales en vous réservant, à intervalles REGULIERS durant la journée, des périodes de repos, même brèves. Vous verrez que vous ne tarderez pas à constater les heureux effets d'une telle méthode. Et de plus, vous arriverez chez vous le soir frais et dispos, calme et détendu; et non pas comme toutes ces personnes qui reviennent de leur journée de travail le visage crispé par la fatigue et la tension. On n'a qu'à constater quel genre de rentrée ces personnes font dans leurs foyers, le soir après leur journée de travail, pour se rendre compte de la nécessité qu'il y a à se réserver de brèves périodes de repos durant la journée.

Lorsqu'une certaine situation exige de vous des efforts immédiats, vous pouvez y aller à «pleins gaz», mais une fois l'«envol» accompli, ou l'obstacle franchi, n'oubliez pas de réduire les gaz. Autrement, vous «exploserez» sous l'effet de la tension. Apprenez à vous réserver de brèves périodes de repos, à adopter une vitesse de croisière, et vous verrez jusqu'à quel point vous pourrez vous rendre loin dans le voyage de l'existence. Surtout, vous ferez ce voyage dans le plus grand calme, détendu, heureux et rempli de joie de vivre.

5

Cultivez l'art de vous distraire sainement

Sans doute connaissez-vous ce genre d'individus qui sont constamment absorbés par le travail et qui ne trouvent jamais le temps de se distraire. Ces gens prétendent être toujours «trop occupés». Pour eux, les moments de distraction ne sont que du «temps perdu». Pourtant, se distraire, c'est restaurer ses forces, c'est se récréer; tel est le verbe qui correspond au mot récréation. Se récréer, c'est aussi une façon de se cultiver; car c'est souvent durant ces périodes de récréation ou de saine distraction qu'il est possible de réapprendre à rire de bon coeur, à décontracter un visage sans cesse tendu à cause d'une accumulation excessive de tension ou de stress, à réapprendre à vivre et à se détendre sainement avec les autres membres de la famille; aussi, à développer cet art qui se perd de plus en plus de nos jours, soit celui qui consiste à réapprendre à vivre en société. Et cet art est tellement important à notre époque de la vitesse;

alors que parallèlement à l'extension phénoména-le des cités modernes, les individus de notre société actuelle ne se sont jamais sentis aussi seuls et isolés les uns des autres. Il suffit de remarquer comment les voisins se connaissent si peu et quel climat de profond isolement prédomine dans les centres d'achats modernes pour se convaincre que le rire est un art qui se perd de nos jours. L'augmentation du nombre sans cesse croissant des suicidés de notre génération est témoin d'un profond indice de solitude.

Lorsqu'on parle de distractions saines, il importe de souligner que le fait de s'asseoir passivement durant de longues heures devant l'appareil de télévision n'est pas là une forme de récréation régénératrice; il s'agit plutôt d'une forme de passivité devant toute activité saine de la vie. Car il faut bien comprendre que la vie ne se déroule pas dans un appareil de télévision mais parmi des êtres humains, parmi des individus pensants. Et si la lecture fait d'une personne qu'elle soit cultivée et que l'écriture en fait une personne accomplie, on peut, à juste titre, se demander à quoi peuvent bien servir toutes ces heures passivement perdues devant un meuble électronique.

L'exercice physique modéré et équilibré est, parmi les diverses formes de distraction saine, un excellent antidote à la tension nerveuse ou au stress excessif. Le fait de s'adonner au sport en plein air, ne serait-ce que la marche, ou de pratiquer toute autre activité exigeant de l'énergie musculaire est là une excellente solution naturelle au surmenage mental. Dépensez-vous physiquement dans une activité saine au grand air, soit la marche, la natation en été, le ski ou la raquette en hiver, le patinage, divers jeux d'équipe qui soient exempts de l'esprit de compétition; et très rapidement, vous verrez disparaître comme par enchantement l'excès de tension qui vous accable et tous vos problèmes perdront vite leur caractère obsédant. Cherchez à vous distraire dans des activités aussi différentes que possible de celles de votre travail quotidien. Si vous êtes un homme d'affaires sans cesse aux prises avec de nombreux problèmes épineux à résoudre, le jeu de Monopoly n'est peut-être pas le genre de distraction saine qui vous convienne le mieux. Ou, si vous êtes une ménagère constamment occupée avec la cuisine, le fait de vous isoler dans un chalet et de consacrer tout votre temps à préparer des repas n'est sans doute pas ce qui vous aidera à vous récréer.

Si vous êtes un homme d'affaires, le jeu en plein air est ce qui convient le mieux pour vous distraire et vous récréer. Et si vous êtes une ménagère sans cesse occupée par toutes sortes de besognes ménagères à l'intérieur de votre foyer, vous vous trouverez certainement bien si vous vous évadez à l'extérieur de la maison. Quoi qu'en disent ou pensent les membres de votre famille, lesquels ne comptent bien souvent que sur vous pour satisfaire leurs moindres désirs, reconnaissez ce droit que vous avez de vous réserver du temps à des distractions qui sortent du cadre de vos activités quotidiennes et absorbantes de votre vie de tous les jours.

Ces dernières années, on a vu de plus en plus de citadins enlever leurs belles piscines extérieures pour les remplacer par quelques mètres carrés de jardin. Quelle activité peut mieux détendre et réjouir plus que le fait de s'adonner librement au jardinage? Qu'il est réjouissant de voir pousser tous ces légumes dont vous avez joyeusement contribué à la croissance! Ou encore, quoi de plus délassant, de plus stimulant que de se lever tôt le matin, en même temps que le soleil, afin de travailler au jardin!

Lorsqu'on parle de distraction saine, pourquoi ne pas prendre une petite période de vacances? C'est certain que des vacances exigeront une dépense de quelques dizaines ou quelques centaines de dollars, mais vous ne devez pas considérer cet argent comme une perte, étant donné que vous le récupérerez très vite grâce à vos nouvelles forces nerveuses et mentales qui vous permettront de fournir un meilleur rendement au travail après votre retour. Combien d'individus se vantent de ne jamais prendre de vacances, tout comme s'ils se sentaient à l'abri d'une quelconque tentation. Le fait de prendre des vacances n'est pas un signe de faiblesse, ni de paresse, et encore moins une forme de gaspillage éhonté. Car très souvent, c'est durant ces périodes de vacances, en des endroits différents du paysage routinier, qu'il est possible de stimuler l'imagination créatrice, de renouveler l'activité intellectuelle, et en somme, de rafraîchir l'être dans son entier. Les vacances constituent donc un excellent investissement du point de vue production. Souvent, c'est après une période de vacances que de nombreux individus ont pu améliorer considérablement leur rendement au travail et que des artistes ont pu réaliser leurs meilleures oeuvres.

Faites en sorte que vos vacances soient un événement spécial pour vous et tous les membres de votre famille en les planifiant le plus possible. Si vous prenez le temps de vous organiser à l'avance, toute votre famille aura hâte de voir s'approcher le «grand jour».

N'allez surtout pas vous imaginer que vous avez «trop d'ouvrage», que vous êtes «indispensable», ou encore, que vous n'avez pas les moyens financiers de vous permettre des vacances. Si c'est vraiment le cas que vous soyez gêné du côté financier, il serait peut-être temps d'analyser toutes vos dépenses superflues, sans oublier tout cet argent qui s'envole en fumée de cigarettes ou en billets de loterie, et d'établir un budget qui tienne compte d'un besoin essentiel pour vous et votre famille, soit des vacances. Si vous pensez être «trop occupé» pour prendre des vacances, n'oubliez pas que TOUT LE MONDE peut se faire remplacer, et comme le disait si bien un humoriste:«Les vacances sont une façon qu'a votre patron pour vous faire sentir que son entreprise peut très bien fonctionner sans vous».

Il y a aussi bien d'autres façons de se distraire sainement. Par exemple, à Montréal, de nombreuses personnes ont découvert que le fait de s'adonner au jogging était là une excellente et bienfaisante source de saine distraction. Concernant cette forme de distraction, le jogging, il est très intéressant de lire l'excellent reportage qu'écrit Bernard Clavel, lequel reportage fut publié dans l'édition du 10-15 juillet 1978 de Perspective. Voici de quelle façon enthousiaste s'exprime Bernard Clavel: «Je regarde courir ces femmes et ces hommes, ces garçons et ces filles, et je vois bien, à leur allure, que la majorité d'entre eux ne sont nullement des gens qu'attire la performance. Aucune médaille, aucun colifichet (petit objet de fantaisie, bagatelle), aucun applaudissement ne les attend au terme du voyage. Leur effort est entièrement tourné vers la seule joie qu'il procure, vers le seul bien-être qu'il laisse à un corps que la vie survoltée du siècle de la vitesse rend esclave de ses rythmes effrénés.»

Bernard Clavel ajoute que ces gens-là «ne courent plus pour perdre de l'embonpoint, ils ne courent ni pour la gloire ni pour l'argent, ils courent pour la joie. Tout simplement. Pour une joie dont ils sont seuls à connaître la nature puisqu'elle fait partie des choses sans véritable nom et qui ne s'expliquent pas».

Décrivant certains des bienfaits inestimables que ces coureurs éprouvent en s'adonnant à cette forme de distraction saine qu'est le jogging en plein air, l'auteur de l'article précité mentionne que «ce qui compte (pour les coureurs), c'est bien avant tout d'échapper à l'asphyxie; c'est bien de retrouver une certaine liberté. Et c'est peut-être tout simplement de SE RETROUVER... Et lorsque j'avance que l'homme qui marche et court entre les arbres se retrouve, d'écrire Bernard Clavel, j'entends également qu'il retrouve l'usage de la civilité. Avez-vous jamais vu, d'enchaîner l'auteur de l'article, deux promeneurs, ou deux coureurs à pied se saluer d'une grimace, d'une injure ou de ce doigt porté à la tempe qui semble devenir le bonjour rituel des automobilistes? Avez-vous déjà entendu dire que deux piétons en sont venus aux mains parce que l'un d'entre eux avait pris la place de l'autre ou refusé de lui céder le passage? Non. Chacun marche et court sans se soucier de l'autre tant que cet autre n'a aucun besoin de son aide.»

Finalement, Bernard Clavel conclut son article par ces mots: «Toute cuirasse déshumanise - et l'automobile en est une - alors que tout contact direct avec l'air ambiant, avec la terre et avec l'homme porte vers une plus profonde humanité... L'homme se retrouve, et c'est encore pour lui un moyen d'accéder de nouveau à une certaine pureté... Convient-il d'en conclure que plus un peuple court (ou marche) plus il est SAIN.»

Bravo et merci à Bernard Clavel pour son excellent reportage, lequel restera gravé à jamais dans l'esprit des êtres intelligents qui ont redécouvert l'usage de leurs jambes.

Vous voulez vous retrouver moins tendu, plus sain, plus heureux, plus «humain»? Si oui, alors cultivez cet art merveilleux qui consiste à réapprendre à vous distraire sainement.

6

Apprenez à imiter le roseau et non le chêne

Avez-vous déjà remarqué comment le frêle roseau sait plier sous les vents, même les plus violents? Il est vrai que le roseau plie mais il ne casse pas. Par contre, l'orgueilleux chêne demeure bien droit et ne plie pas, même sous les vents déchaînés; mais après une tempête, ou un ouragan, c'est par centaines que l'on compte les chênes qui sont cassés ou déracinés.

Il en est de même chez les êtres humains. De nombreuses personnes insistent pour se comporter comme des chênes, soit en refusant absolument de plier devant des circonstances, des événements, ou encore, devant des individus contre lesquels elles ne peuvent absolument rien. A cause de leur refus obstiné de ne pas céder, ces gens-là ne manquent pas d'accumuler de nombreuses tensions inutiles, ce qui leur est parfois fatal. Vaut-il mieux apprendre à plier, comme un roseau, sous le vent des tempêtes des difficultés de la vie et demeurer debout après l'ouragan; ou insister pour résister et tenir tête à tout prix, et ainsi, courir le risque de casser net? Vaut-il vraiment la peine de disputer le chemin à un chien enragé ou à une ourse accompagnée de ses petits, ou de céder tout simplement le chemin et demeurer vivant?

Si vous êtes trop rigide, si vous êtes comme un chêne et insistez trop sur vos droits devant une difficulté quelconque, ou encore, devant un individu qui ne veut absolument pas entendre raison, vous vous exposez à devoir subir une vie remplie de tensions, ce qui peut bien vous briser complètement. Peut-être qu'en apprenant à plier, à céder devant certains événements contre lesquels vous ne pouvez rien du tout, vous exposez-vous à passer pour un frêle roseau; mais au moins, vous resterez debout, vous ne caserez pas. Agissez donc comme un roseau, voilà qui vous permettra d'avoir l'esprit beaucoup plus tranquille, d'être moins tendu, et en somme, de demeurer debout et vivant beaucoup plus long-temps. Et comme il vaut mieux être un chien vivant qu'un lion mort, il vaut aussi beaucoup mieux être un roseau debout qu'un chêne cassé ou déraciné. C'est un peu comme l'histoire de cet homme qui, durant toute sa vie, avait toujours raison. Insistant sans cesse sur ses droits, cet homme-là n'avait même pas un ami pour pleurer sur sa tombe lorsqu'il fut mis en terre. Il est mort tout seul. Il est vrai qu'il n'avait jamais tort, mais aussi il n'avait non plus aucun ami qui se plaisait en sa compagnie.

Il n'y a pas tellement longtemps, à New York, un automobiliste insista sur ses droits et se mit à injurier un autre automobiliste qui lui avait «volé» sa place à un feu de la circulation. L'autre automobiliste, vexé par l'injure, arrêta son auto, en sortit avec un revolver à la main et assassina froidement le premier automobiliste qui l'avait injurié. Cet homme-là aurait peut-être passé pour un frêle roseau en cédant le chemin et en pliant tout simplement devant cet individu qui ne voulait pas entendre raison, mais au moins, il en serait sorti vivant. Son insistance, ou sa rigidité, l'a tout simplement conduit à la morgue.

A Toronto, un homme d'une soixantaine d'années, qui gagnait sa vie en s'occupant d'une petite épicerie, insista pour défendre les quelques malheureux dollars qu'un bandit essayait de lui soustraire sous la menace d'une arme à feu. Le bandit, se voyant coincé, n'hésita pas à tirer et trois balles se logèrent dans le corps du malheureux. Cet épicier mourut dans l'ambulance qui le transportait à l'hôpital. Il fut déraciné de la vie pour quelques misérables billets de banque.

A Québec, un homme de cinquante-cinq ans eut une violente dispute avec un voisin qui ne surveillait pas assez les allées et venues de son chien. Cet homme-là était dans un tel état de tension causée par la colère, qu'après avoir mangé un copieux repas, il s'affaissa dans sa chaise avant même d'avoir pu se lever de table. Sa rigidité l'avait tué.

A Chicago, un père de famille eut une violente dispute avec sa femme. La tension de l'homme fut telle qu'il s'empara d'un fusil de chasse et tira deux coups de feu en direction de sa femme. Après avoir atteint mortellement cette dernière, il tourna ensuite l'arme contre lui et se suicida.

Combien d'exemples du genre pourrait-on citer! Des exemples de personnes qui ont toutes voulu se comporter comme des chênes en insistant sur leurs droits et en refusant de plier, ne serait-ce que durant la tempête, devant des circonstances, des événements ou des individus qui, après tout, ne méritent quand même pas le sacrifice inutile de vies humaines.

On dit que le foyer est le plus grand générateur de tensions et aussi l'endroit où il se commet le plus de drames sanglants. Combien de conjoints, de pères et de mères de famille insistent sur leurs droits et refusent obstinément d'entendre raison pour des questions qui, bien souvent, ne méritent même pas qu'on s'y attarde! Peut-être êtes-vous dans vos droits et avez-vous pleinement raison sur un point quelconque, mais si votre conjoint n'est pas disposé à vous écouter, ou à entendre raison, les pires scènes de colère n'arrangeront absolument rien. Bien au contraire, c'est souvent dans des désaccords minimes que prennent naissance les plus affreux drames conjugaux ou familiaux. C'est un peu comme le fait de vouloir éteindre un incendie en utilisant de l'essence. Mais avec de la patience, du tact, de la douceur, de l'amour et de la souplesse, vous réussirez bien plus à convaincre qui que ce soit, y compris votre conjoint, qu'il vaut la peine de vous écouter; et si votre opinion est juste, grâce à votre amabilité et à votre longanimité, tout le monde ne tardera pas à se joindre à vous. Comme on dit, il ne faut jamais bousculer la ruche lorsqu'on veut recueillir du miel.

Une jeune maman avait beaucoup de difficulté à empêcher son jeune bébé de renverser son verre de lait à table. A chaque repas, c'était immanquable, l'enfant prenait un plaisir malin à renverser son verre de lait sur la nappe propre. La maman se mettait en colère et attachait tellement d'importance à l'événement qu'elle en fit presque une dépression nerveuse. Et plus la maman était agacée et se mettait en colère, plus l'enfant semblait trouver un grand plaisir à renverser ses verres de lait. Ce qui paraissait un désastre aux yeux de la mère était tout simplement un jeu pour l'enfant. Finalement, la maman intelligente finit enfin par réaliser que ses crises de colère n'arrangeaient absolument rien. Au repas suivant, l'enfant guetta sa mère qui était occupée au téléphone, et dès qu'il s'aperçut qu'elle regardait dans sa direction, il renversa son verre de lait. Mais la mère avait décidé différemment à partir de ce jour-là. Elle détourna les yeux de l'enfant et continua sa conversation téléphonique, tout comme s'il ne s'était rien passé. Réalisant que la plaisanterie n'avait plus aucun effet sur sa mère, à compter de ce jour, l'enfant ne renversa plus aucun verre de lait. Ce que cette mère n'avait pu atteindre dans la colère et la tension, elle l'obtenait maintenant sans même s'en occuper.

Comme il est agaçant de se promener dans une rue quand un petit chien se met à nous courir après en aboyant. Avez-vous remarqué que plus on porte attention au petit chien qui aboie, plus ce dernier semble trouver du plaisir à japper? Par contre, quand un passant ne se retourne même pas pour porter attention au petit chien qui aboie, le chien s'en retourne chez ses maîtres et attend qu'un autre passant soit à sa portée pour s'amuser. Il en est de même dans la vie. Combien de gens, ou de circonstances, ne font que ressembler à des petits chiens qui jappent après un passant. Plus on s'y attarde, et plus ils aboient. Par contre, si on agit tout simplement comme s'ils n'existaient pas, ils ne font plus de cas de nous.

Sans doute avez-vous déjà entendu parler de cette histoire au sujet d'une discussion qui se déroula entre le vent du Nord et le soleil. S'il convient de la mentionner de nouveau ici, c'est dans le but de vous démontrer que le fait de se mettre dans tous ses états, ou dans une condition de tension excessive, ne produit aucun résultat positif, bien au contraire. Un jour, l'orgueilleux vent du Nord lança un défi au soleil. Le défi consistait à déterminer lequel des deux, le vent ou le soleil, était le plus fort. Vint à passer un promeneur vêtu d'un long manteau de fourrure. Le vent du Nord profita de l'occasion et se mit à souffler de toutes ses forces, déracinant les arbres et ravageant tout sur son passage. Mais plus il soufflait, plus fermement le promeneur tenait son manteau. Le vent, malgré toute sa fureur et sa rigidité, n'eut que des résultats contraires. Par contre, le soleil, lui, se mit à chauffer de ses rayons les plus chauds. Il le fit sans rien ravager et pas même un arbre ne fut bousculé. En l'espace de moins de cinq minutes, le promeneur enleva son manteau tellement il avait chaud. Le vent était le plus puissant, certes, mais pas le plus fort. C'est là une très vieille histoire qui ne manque pas de nous donner toute une leçon de savoir-vivre sur l'effet que peut avoir la chaleur, soit l'affection, la douceur et la compréhension dans une discussion.

Combien de conflits conjugaux, combien de drames familiaux, combien de guerres meurtrières, combien de conflits de travail, ne sont que le triste résultat de l'incompréhension, de l'orgueil et de la rigidité. Combien de patrons d'entreprises, d'employés, de parents, d'enfants, de professeurs et combien d'autres se mettent en colère chaque fois qu'une erreur quelconque est commise, mais qui «oublient» lamentablement de dire «merci» lorsqu'une bonne action est accomplie.

Un livre des plus anciens, la Bible, affirme, dans les Proverbes, qu'«Un coeur calme est la vie de l'organisme de chair, mais la jalousie est la pourriture pour les os». Oui! la jalousie, l'envie, la colère, la haine, les disputes, le manque de maîtrise de soi, l'intolérance, l'incompréhension, la rigidité, ce sont tous là des fruits qui ne manquent pas de conduire très rapidement à la «pourriture», soit à une mort prématurée, tous ceux qui s'en régalent.

Que ce soit dans une discussion, ou lors de toute autre circonstance, si vous ne parvenez pas à contrôler les gens ou les événements, laissez-les tout simplement se contrôler d'eux-mêmes. Lorsqu'une rivière sort de son lit après un violent orage, il serait vain de risquer sa vie en insistant à tout prix pour que la rivière retourne à sa place dans son lit. Mais avec le temps et un peu de patience, la pluie cesse, le soleil et le vent se mettent de la partie, et finalement, la rivière, bien malgré elle, est obligée de reprendre sa place. S'il est des choses que vous ne pouvez absolument pas maîtriser ou résoudre pour l'instant, il ne sert à rien de vous mettre dans tous vos états, ce qui vous serait toujours dommageable. Soyez donc patient et vous verrez qu'avec le temps tout finit par s'arranger, et même les pires difficultés ne deviennent plus que de minimes épreuves. Surtout, n'agissez pas comme l'orgueilleux chêne quand vous rencontrerez des gens ou des événements qui peuvent facilement avoir raison de vous, qui peuvent même vous déraciner de la vie. Apprenez plutôt à imiter le frêle roseau, lequel sait plier sous les vents violents qui sont trop puissants pour sa faible résistance. En agissant ainsi, vous vous éviterez de nombreuses tensions inutiles; et après la tempête, après que la difficulté se sera estompée, vous serez toujours debout, tout comme le roseau.

7

Comment profiter pleinement du bon sommeil réparateur

Le sommeil apaisant et salutaire pour le corps comme pour l'esprit est, depuis des siècles, reconnu comme le grand remède à bien des maux. Très souvent, c'est dans le manque de sommeil qu'il convient de chercher la cause à de **nombreux** troubles, tant émotifs que physiques. De **nombreuses** personnes à notre époque se couchent beaucoup trop tard, qu'il s'agisse des couche-tard de la télévision, des anxieux ou des ambitieux; et il vient vite un temps où l'organisme se ressent d'un manque de sommeil prolongé. Si le repos est essentiel afin d'assurer la restauration des facultés mentales et physiques, le sommeil, lui, bien qu'étant un phénomène biologique assez mystérieux, est un besoin essentiel pour la régénération des forces nerveuses.

D'innombrables personnes, ne parvenant pas à trouver ce doux sommeil réparateur qui était le lot

63

précieux de nos ancêtres, en viennent très vite à s'engager sur une voie dangereuse, soit celle de l'accoutumance aux somnifères. Pourtant, comme pour toutes les autres habitudes de l'art de vivre, le sommeil est, lui aussi, un art qui se cultive, qui s'acquiert, et finalement, qui devient une partie inhérente de la personnalité.

Ces dernières années, on a élaboré toutes sortes de recettes afin de permettre à tous les êtres tendus et nerveux de notre époque de pouvoir trouver le sommeil. La méthode la plus courante, et l'une des plus connues, est sans doute celle qui consiste à s'adonner aux somnifères. Nous n'allons pas, dans le présent chapitre, inventer de nouvelles méthodes qui vous permettront de trouver facilement et rapidement ce doux sommeil tant recherché de nos jours. Non! Aussi curieux que cela puisse vous sembler, nous allons examiner une très vieille méthode, laquelle a fait largement ses preuves depuis un passé très lointain. Une ancienne méthode qui vous permettra, à vous aussi, si vous prenez le soin de l'éprouver, de pouvoir trouver ce bon sommeil réparateur qui est tellement utile, à chacun de nous, pour la régénération des forces nerveuses.

Un grand roi de l'antiquité, le roi David, écrivit ce qui suit dans l'un de ses Psaumes, soit le Psaume quatre: «En PAIX je me coucherai et aussi je DORMIRAI». A lire ces mots, on peut se demander comment il était possible à David, étant donné ses lourdes responsabilités de roi et de commandant en chef de l'armée d'Israël, de pouvoir «dormir en paix»? C'est en examinant sa méthode qu'il nous sera possible, à nous qui vivons une époque fort agitée, de trouver la solution au problème de l'insomnie, lequel est si répandu à notre âge moderne de l'industrialisation.

Dans ce même vieux Livre, celui des Psaumes, le roi David nous aide à mieux comprendre ce qui l'aidait, lui, à trouver le sommeil lorsqu'il se couchait le soir; et surtout, nous comprendrons mieux, en examinant sa méthode, comment il en arrivait à «dormir en paix» malgré les nombreuses tâches qu'il avait à accomplir. Voici ce que David écrivit, et que nous pouvons lire, dans les quelques premiers versets de son premier Psaume: «Heureux est l'homme qui n'a pas marché dans le conseil des méchants, Et qui ne s'est pas tenu dans la voie des pécheurs, Et qui ne s'est pas assis dans le siège des moqueurs. Mais ses délices sont dans la loi de Jéhovah (c'est le nom du Dieu de cet ancien roi), Et dans sa loi, il lit à voix basse jour et nuit. Et il deviendra assurément comme un arbre planté près des ruisseaux d'eau, Qui donne son fruit en son temps, Et dont le feuillage ne se flétrit pas, et tout ce qu'il fait réussira».

Si vous n'avez pas bien saisi le sens de ces paroles, prenez le temps de les relire car elles sont très importantes. Ce sont là des paroles pleines de bon sens et de sagesse, lesquelles paroles devraient être gravées en belles lettres d'or dans les chambres à coucher de tous les êtres tendus et insomniaques de notre époque. Si cet ancien roi, dont la renommée nous est parvenue, même après trois millénaires d'histoire, parvenait à «dormir en paix», ou à trouver le sommeil doux et reposant malgré toutes ses obligations, c'est, comme il l'a écrit lui-même dans son Psaume, parce qu'il se couchait le soir avec la conscience en paix et tranquille. «Heureux est l'homme qui ne s'est PAS TENU dans la voie des pécheurs», écrit-il. S'il est vrai que David ait commis un acte fort répréhensible, soit en couchant avec la femme d'Urie et en complotant l'assassinat de ce dernier, tout indique, en lisant un autre de ses Psaumes, le cinquante et unième, que David s'est sincèrement repenti de son grave péché, et que par la suite, il a adopté un mode de vie vraiment irrépréhensible. Il apparaît donc évident, en lisant les écrits de David, que le genre de vie que mène un homme (ou une femme) a une profonde influence sur son sommeil.

Combien de personnes ne parviennent pas à trouver le sommeil tout simplement parce qu'une mauvaise conscience les empêche de dormir. Même s'il peut sembler facile et même possible de cacher quoi que ce soit aux autres, que ce soit un mensonge, un vol, ou tout autre acte d'inconduite quelconque, il est cependant IMPOSSIBLE de cacher un acte répréhensible à sa propre conscience. De nombreuses personnes, en proie à une tension extrême après avoir commis un acte très répréhensible, se sont rendues jusqu'au suicide afin d'échapper à leur conscience qui ne cessait de les «tracasser», ou les empêchait de dormir en leur enlevant toute espèce de tranquillité d'esprit. Il ne faut pas oublier qu'une heure d'insomnie est souvent pour nous rappeler un péché d'action ou d'omission. Il importe donc, pour pouvoir trouver le sommeil, sommeil qui soit à la fois paisible et reposant, d'avoir une bonne conscience; ce qui n'est possible que par la pratique d'une vie de tous les jours qui soit honnêtement et moralement bien vécue. Nous savons bien dans quel lamentable état de tension (et d'insomnie) vivent continuellement les criminels, les adultères, les voleurs, les menteurs, les ambitieux et les mauvais dirigeants. Le fait de vivre constamment dans le tourment et la crainte fait perdre les meilleures nuits de sommeil à ces gens-là.

S'il arrivait qu'une nuit le roi David ne parvenait pas à trouver le sommeil, même s'il avait la conscience tranquille, que ce soit parce qu'il avait l'esprit trop agité à cause de toutes les importantes décisions qu'il avait à prendre ou encore à la suite de certaines défaites subies durant la journée, avait-il recours à la drogue afin de pouvoir s'endormir? Non, et ce roi a lui-même consigné pour notre instruction quelle méthode il utilisait quand son esprit trop agité l'arrachait au sommeil. Toujours dans le même Psaume, le premier, il écrivit ce qui suit: «Et dans sa loi (celle de son Dieu rédigée à son époque), il lit à voix basse jour et NUIT». N'est-ce pas là une excellente méthode qui peut largement contribuer à trouver le sommeil quand l'esprit est trop agité ou accaparé par des projets quelconques? Lire la Bible, lire les

Psaumes de David, les Proverbes de Salomon, les Evangiles de Matthieu, Marc, Luc et Jean; lire les stimulantes lettres de Paul, les lettres encourageantes de Pierre, les lettres affectueuses de Jean, le prodigieux Sermon sur la Montagne que Jésus prononça devant des milliers d'auditeurs, lequel sermon est, à notre époque agitée, la meilleure source de conseils qui soit. La lecture de la Bible est un précieux calmant et aide quiconque le désire à trouver cette paix de l'esprit si essentielle pour permettre de trouver le sommeil. Ce n'est certainement pas sans raison que nous pouvons trouver, dans la plupart des chambres de motel et d'hôtel en Amérique du Nord, une copie de la Bible.

Un nombre sans cesse croissant de personnes à notre époque ont développé la bonne habitude de lire une portion de la Bible le soir dans leur lit. Toutes ces personnes vous diront que, grâce à cette méthode, elles ne tardent pas à trouver le sommeil, et que très souvent, elles se réveillent le lendemain matin la Bible à la main. En plus d'aider l'esprit à se libérer des activités courantes du jour, le fait de lire la Bible constitue une excellente nourriture spirituelle qui ne peut faire autrement qu'aider le lecteur à s'améliorer de jour en jour.

Est-ce sans raison que la Bible soit publiée de nos jours en plus de 1,500 langues et dialectes, et que plus de trois milliards de copies soient dispersées sur toute la surface de notre globe? Non, ce n'est pas sans raison. La lecture et l'examen attentif de la Bible constitue un besoin essentiel pour l'homme, la femme, les adolescents, en somme, pour toute la famille. Alors que tout est remis en question de nos jours, y compris les assises même de la vie; alors que tant de nouvelles idéologies et de nouveaux dieux sont apparus dans notre génération, soit le dieu des plaisirs, de la jouissance immodérée, du matérialisme, de la guerre, ou tout autre dieu moderne, ce qui ne manque pas d'amener d'innombrables individus à vivre dans un état de tension constante, la Bible est le Livre qui permet à chaque être de notre époque de se réajuster et de s'accorder aux lois saines, harmonieuses et équilibrées de la vie, et surtout, de l'art de vivre.

Il ne faut pas oublier que nos fatigues sont fort différentes de celles de nos ancêtres. De nos jours, nos fatigues sont plutôt mentales et nerveuses que physiques et musculaires; et il importe, afin de «renverser la vapeur», ou en guise d'antidote, de faire en sorte que l'esprit reçoive une certaine compensation à toutes les pressions qui le harcèlent et le stimulent de toutes parts. Et si l'esprit reçoit cet antidote, soit cette nourriture spirituelle qui compensera pour les nombreux assauts matérialistes qu'il subit, il sera moins tendu, plus calme et plus tranquille; ce qui, en retour, ne pourra faire autrement qu'aider l'orga-nisme à restaurer ses forces nerveuses, ceci, grâce au bon sommeil réparateur.

Il convient aussi, afin de pouvoir trouver le sommeil, de ne pas s'adonner à des travaux exigeant un trop grand effort de concentration le soir avant d'aller au lit; car en agissant ainsi, soit en s'absorbant dans un travail mental approfondi et ardu, l'esprit se trouve comme «lancé» en pleine activité, et même si le corps est couché et requiert du repos, l'esprit, lui, n'en continue pas moins de fonctionner. C'est, là encore, une autre raison qui démontre bien toute l'importance qu'il y a à apporter à l'esprit un «antidote spirituel»; cela, afin de le calmer et de l'orienter vers une autre trajectoire, plus reposante celle-là.

Egalement, les nombreuses personnes sensibles à la caféine se trouveront bien de s'abstenir de ce «délicieux» breuvage des couche-tard. Avant d'aller au lit, un verre de lait chaud, légèrement sucré avec du miel, a un effet tout simplement bénéfique pour aider à trouver rapidement le sommeil.

Une autre bonne méthode consiste à se «dételer» mentalement avant d'entrer dans la chambre à coucher. Avant de franchir la porte de votre chambre, faites une légère pause de une ou deux minutes et parlez-vous ainsi: «Tout ce qui a accaparé mon esprit durant cette journée, je le laisse en dehors de ma chambre... Je me libère totalement l'esprit de tout ce qui l'accapare, et demain matin, en sortant de ma chambre, je reprendrai ce qui me sera utile». Selon ce qui vous convient le mieux, employez le genre de phrases qui vous stimuleront et aideront le plus, soit celles qui seront les plus efficaces pour vous. Procédez un peu comme le cultivateur qui «détèle» son cheval de trait avant de le faire entrer dans l'étable pour la nuit. Vous aussi, dételez-vous mentalement avant d'entrer dans votre chambre à coucher. C'est, là encore, une autre excellente méthode qui a produit de bons résultats dans de nombreux cas.

De nombreuses personnes ont développé la bonne habitude d'aller prendre une marche à l'extérieur de la maison avant d'aller au lit. Il n'est pas nécessaire ici de mentionner tous les merveilleux bienfaits procurés par la marche. Et, comme on dit, «quand on marche plus, tout marche bien mieux».

D'innombrables personnes ne peuvent trouver le sommeil tout simplement à cause d'un manque de reconnaissance envers les nombreux dons reçus durant la journée qui s'achève. Au lieu de perdre des heures de précieux sommeil à planifier toutes sortes de projets matérialistes pour les jours et les années à venir, pourquoi ne pas cultiver la bonne habitude d'adresser quelques mots de remerciement à Celui qui s'est si généreusement et affectueusement occupé de pourvoir à tous vos besoins du jour! Chaque jour nous procure des dons qui sont d'une valeur inestimable: le don de la vie, l'oxygène nécessaire à la vie, la grande variété des aliments que nous pouvons savourer et qui contribuent à la nutrition et à l'entretien du corps, la lumière si bénéfique du soleil, le don de la vue et des autres sens, et combien d'autres dons encore pourrait-on citer. Chaque soir, avant d'aller au lit, cultivez donc la bonne habitude de dire «MERCI» du fond du coeur à cet Etre si sage et généreux qui vous a tant donné durant cette journée qui se termine, et remettez-vous en toute confiance entre Ses mains pour la nuit qui s'en vient. Car même durant la nuit, notre Père céleste veille affectueusement sur chacun de nous, que ce soit par l'entremise de notre coeur qui continue de battre sans même que nous en soyons conscients, ou encore par l'entremise des planètes qui suivent, de façon ordonnée, leurs différentes orbites. S'il n'existait pas un Père intelligent et aimant qui veille SANS CESSE sur nous les humains, nous aurions de nombreuses bonnes raisons de nous coucher inquiets le soir. Remercions donc le Créateur pour toutes les attentions qu'il nous témoigne, que ce soit par le moyen de son esprit ou sa force active qui préside intelligemment sur tout ce qui nous entoure, ou sur les dispositions qu'Il a prises afin de nous permettre de satisfaire abondamment nos besoins spirituels.

Avez-vous remarqué comment un petit enfant ne tarde pas à sombrer dans un doux et profond sommeil aussitôt qu'il se couche dans son lit? S'il en est ainsi, c'est dû au fait qu'inconsciemment, le jeune enfant «sent» que quelqu'un veille affectueusement sur lui. Il en est de même pour le chat de la maison qui se couche et ronronne sur un coussin. Pour quelle raison le chat est-il aussi détendu? Lui aussi «sent», même si c'est inconsciemment, que quelqu'un veille affectueusement et généreusement sur lui et sur ses besoins de chaque jour.

Vous aussi, vous voulez trouver ce doux sommeil réparateur qui vous aidera à vous prémunir contre les tensions inutiles et excessives de la vie moderne? Vous aussi, vous voulez profiter de ce bon sommeil qui vous permettra de régénérer vos forces nerveuses? Alors, apprenez à imiter le sage roi David, lequel avait développé la bonne habitude de lire «à voix basse jour et NUIT» dans la loi de son Dieu. N'oubliez pas non plus toute l'importance qu'il y a à «garder une bonne conscience» afin de pouvoir trouver rapidement le sommeil le soir en allant au lit. Cultivez la bonne habitude de dire «MERCI» à Celui qui vous a tant donné durant le jour qui se termine, et avant d'aller au lit, dites-Lui merci de tout coeur tout en vous confiant entre Ses mains durant la nuit qui s'en vient. Soyez autant confiant que le petit enfant, et vous aussi, vous ne tarderez pas à sombrer dans le doux et paisible sommeil que connaît le petit enfant. Avant d'entrer dans votre chambre à coucher, «dételez-vous mentalement». Alors, vous aussi, si vous appliquez les conseils mentionnés dans ce chapitre, vous vous coucherez le soir l'esprit dégagé et tranquille, et le lendemain matin, vous vous réveillerez frais et dispos pour entreprendre joyeusement une nouvelle journée.

8

N'ayez pas peur
de dire «non»

Un ancien proverbe dit que «L'homme bon, c'est celui qui fait du bien à sa propre chair». Dans un monde où s'éteint de plus en plus l'esprit de générosité et de dévouement désintéressé, vous ne manquerez pas de rencontrer, surtout si vous êtes dévoué, généreux, aimable, et un peu timide, de nombreuses personnes qui ne cesseront de vous solliciter pour une foule de services; ou même, qui ne se gêneront pas pour profiter de vous tout simplement.

Si vous voulez vous réserver du temps afin de pouvoir vaquer à vos occupations essentielles de chaque jour et vous réserver aussi des périodes de repos et de détente afin de restaurer vos forces physiques, mentales et nerveuses, il est nécessaire, essentiel même, que vous appreniez à dire «NON» de temps en temps.

Combien de personnes, manquant d'équilibre dans ce domaine, ne trouvent plus de temps pour s'occuper de leurs propres responsabilités, ou de vaquer à leurs occupations essentielles; cela, tout simplement parce qu'elles n'ont jamais su dire «NON», ou parce qu'elles ont tout simplement peur de dire «NON» quand il le faut!

Il est bien certain qu'il importe de s'aider les uns les autres et de se dévouer pour ses semblables, soit pour ceux qui sont réellement démunis ou dans le besoin; mais jamais, au grand jamais, un tel dévouement ne doit être fait au détriment de soi-même, de ses possibilités ou encore au détriment de sa propre famille. «Si quelqu'un ne prend pas soin des siens, il est pire qu'un homme sans foi» de résumer l'Ecriture. Il convient, certes, d'aimer généreusement son prochain et de rendre service à autrui lorsqu'il le faut; c'est d'ailleurs ce genre d'amour désintéressé envers le prochain que les Grecs définissaient par l'expression d'amour «agapê», lequel amour est un peu comparable au ciment de la vie, et qui fait que la vie soit plus encourageante et agréable à vivre. Mais s'il convient d'aider autrui et de rendre service à son prochain, il importe aussi de s'aimer soi-même et de se rendre aussi service à soi-même. «Tu aimeras ton prochain comme TOI-MEME» de déclarer Jésus à ses disciples. S'il est essentiel de penser aussi à soi, il est certain que cet amour de soi ne signifie pas qu'il faille penser égoïstement à soi de façon continuelle sans jamais se soucier des autres, mais savoir déterminer où se situe la ligne de démarcation dans nos relations avec autrui; soit entre ce qu'il «faut» faire pour les autres, et ce qu'il est «possible» de faire. Ce n'est qu'en parvenant à ce juste équilibre qu'il est possible de demeurer calme, heureux et équilibré dans toute sa vie et tout son être.

Il se peut que certaines personnes ne vous comprennent pas, et vous témoignent même du ressentiment suite à un refus quelconque de votre part. Mais s'il est nécessaire d'être dévoué et généreux, il importe aussi, afin d'être raisonnablement heureux sur cette terre, de ne pas trop se tracasser au sujet des pensées ou encore des opinions que se font les autres à votre sujet. Vous vous connaissez. Vous connaissez vos limites, vos capacités et vos moyens. Avec cette connaissance que vous avez de vous, apprenez à ajuster votre vie selon ces critères et non selon les diverses opinions, souvent contradictoires et injustifiées, que peuvent se faire les autres à votre sujet suite à un refus de votre part. Car une fois que vous serez littéralement «cassé» par les extravagances de la vie moderne, aucune louange ne vous aidera à vous remettre d'aplomb, ne l'oubliez pas.

Dans la vie, pour être heureux et vous éviter tout excédent de tension inutile, il importe que vous établissiez des priorités et fassiez des choix, ceci, afin d'être en mesure de pouvoir partager, de façon pratique et équitable, votre temps entre ce que vous devez absolument faire, utilement accomplir, et agréablement projeter pour l'avenir. Ayant clairement déterminé ce partage de votre temps, vous serez mieux à même, si l'on vous demande de faire des choses qui vont à l'encontre de ces critères de vie, de prendre la bonne décision qui soit à la fois équitable et raisonnable, pour vous et les membres de votre famille d'abord, et pour les autres ensuite.

Combien de chefs de famille, acceptant inconsciemment toutes sortes de promotions ou encore acceptant de s'impliquer dans toutes sortes de mouvements qui, en somme, ne leurs apportent, bien souvent, qu'une certaine gloire bien éphémère n'ont, finalement, plus de temps libre pour s'occuper des besoins affectifs, émotifs et spirituels des membres de leur famille. S'il s'agit là d'un dévouement de leur part, il s'agit plutôt d'une forme de dévouement égoïste et déséquilibrée.

On peut dire «NON» à un ami en usant de tact et en donnant même des suggestions qui peuvent aider cet ami à voir comment il lui serait possible de résoudre son problème par lui-même. On se rappelle bien cette ancienne illustration qui consiste à montrer à un individu à pêcher plutôt que se voir obligé de le nourrir toute sa vie. Combien d'individus ne cessent de demander aux autres toutes sortes de services tout simplement parce que, bien souvent, ils ne se donnent même pas la peine d'agir d'abord par eux-mêmes. Et combien d'autres ne cessent de quémander de tout bord et tout côté tout simplement parce qu'ils sont trop paresseux pour agir par eux-mêmes. On a souvent, oui très souvent, vu ce genre d'enfants qui ne cessent de traiter leur mère comme une servante, ou plutôt comme une esclave; ceci, tout simplement parce que ces enfants sont trop gâtés et trop paresseux pour faire leur lit, laver leurs plats, réparer leurs vêtements, cirer leurs chaussures, etc.

Il importe donc d'user de beaucoup de discernement lorsqu'on vient solliciter votre aide et votre temps. Dans bien des cas, vos services peuvent être carrément dommageables à l'individu que vous croyez aider, soit lorsque votre aide est accordée à des êtres paresseux qui se refusent à toute action, même à pourvoir aux besoins de leur propre famille. Grâce au discernement que vous exercerez dans votre générosité, soit en refusant de gaspiller inutilement vos énergies et votre temps à des individus qui ne le méritent absolument pas, vous aurez ainsi plus de temps, d'agrément et de joie pour vous occuper de ceux qui le méritent vraiment.

Apprendre à dire «NON» afin de vous éviter des tensions inutiles, c'est aussi apprendre à fermer le poste de télévision, ou de savoir mettre un terme à certaines activités agréables et amusantes afin de retourner vous occuper des choses plus utiles et essentielles. Car s'il importe de savoir dire «NON» à des gens qui ne le méritent pas, il est tout autant essentiel d'apprendre à dire «NON» à tous les objets ou plaisirs qui ne sont là, bien souvent, que dans le but de vous faire perdre un temps précieux qui pourrait être employé plus sagement ailleurs. La télévision est un exemple typique de beaucoup de temps inutilement gaspillé.

Savoir dire «NON», c'est apprendre à devenir équilibré avec son temps, soit apprendre à partager équitablement et raisonnablement son temps entre le travail, le repos, la famille, le jeu, le dévouement envers autrui, et aussi les saines distractions.

Donc, afin de vous prémunir contre les nombreuses tensions inutiles et excessives de la vie moderne, vous devez absolument apprendre à dire «NON», certes, mais à dire «NON» dans un esprit de discernement, d'équilibre et d'amour fraternel. Voilà finalement ce qui fera de vous une personne équilibrée et mûre en qui même vos ennemis se complairont.

9

Divisez votre vie en compartiments étanches

Sans doute êtes-vous au courant que les grands navires sont pourvus de cloisons qui les divisent en compartiments étanches advenant le cas d'un accident quelconque, soit une collision avec d'autres navires par exemple. De cette façon, même s'il subit une grave avarie, un navire accidenté pourra quand même continuer de flotter, car l'eau qui s'y infiltrera ne pourra pas inonder les autres parties du vaisseau.

Il en est de même pour chacun de nous si nous tenons à nous prémunir contre les désagréments et les innombrables tensions de la vie moderne. Pour pouvoir nous rendre à bon port, pour être en mesure de bien mener notre vie, il importe d'imiter les grands navires, c'est-à-dire de diviser notre vie en compartiments étanches. Ainsi, si un mauvais jour se présente et vient causer une avarie au vaisseau de notre vie, la difficulté se trouvera comme isolée; ce qui signifie qu'elle ne pourra pas faire couler tout le navire, soit ruiner le reste de l'existence.

Une femme, dont le mariage s'était avéré un lamentable échec, en est restée marquée pour le reste de son existence, soit durant une période de plus de trente ans, sans pouvoir sourire de nouveau à la vie tellement son désarroi était grand. Un homme, âgé de quarante-cinq ans seulement, s'est tellement fait du souci à la suite d'une faillite commerciale qu'il perdit les quinze plus belles années de sa vie à se tracasser à cause de la soi-disant perte de sa réputation. Pourtant, un mariage qui a échoué, ou une entreprise commerciale qui a mal tourné, méritent-ils qu'une existence soit à tout jamais ruinée? Une avarie dans le flanc d'un navire est-elle une raison qu'il faille laisser couler le navire et ainsi le perdre tout entier? Combien de grands navires ont pu être sauvés grâce à ces cloisons étanches dont ils étaient munis! Aussi, combien de conjoints délaissés ont pu connaître de nombreuses années de bonheur après avoir donné un autre sens à leur vie! Et combien d'entreprises florissantes ont pu vraiment prendre le vrai départ à la suite de nombreux échecs consécutifs! Qu'une difficulté vienne à surgir, cette difficulté ne mérite pas que toute une vie soit gâchée. Ce n'est qu'en isolant sa vie en compartiments étanches qu'il est possible d'empêcher que l'avarie subie ne vienne ruiner toute l'existence qui reste à vivre.

Un homme d'affaires, qui avait travaillé très dur pour se bâtir le commerce de ses rêves, a perdu tout son avoir à la suite de circonstances entièrement hors de sa volonté. A soixante ans, cet homme est reparti à zéro. Il a tout recommencé à neuf, et cinq ans plus tard, son entreprise était l'une des plus florissantes de sa catégorie. Il est vrai que cet homme avait perdu tout son avoir, mais à soixante ans, il avait de nombreuses bonnes raisons d'être aussi confiant; il avait un trésor précieux entre les mains: l'expérience et plus de sagesse.

Il ne faut jamais, au grand jamais, se faire du souci ou se tourmenter, ou encore vivre dans un état de tension continuelle à la suite d'un échec ou d'une avarie subie au flanc du navire de notre vie. Dites-vous bien que quiconque le VEUT bien, PEUT tout recommencer à neuf et repartir à zéro; et ceci, quelque soit l'âge, le sexe ou le statut social. Il suffit simplement d'apprendre à cloisonner son existence en compartiments étanches afin d'empêcher l'eau qui s'engouffre par l'avarie de s'infiltrer dans les autres sections du vaisseau de votre vie et ainsi, de ruiner toute l'existence. Sachez qu'il n'est jamais «trop tard» pour bien faire et que pour le sage, chaque jour est le point de départ pour une nouvelle vie. Qui n'a pas entendu parler de ce «bon poulet» que nous aimons tous à déguster. Pourtant, ce n'est qu'après avoir franchi le cap de la soixantaine que le courageux «Colonel» a commencé à ériger son très vaste réseau de petites villas que l'on voit un peu partout.

Vous avez subi un échec, un dur coup du sort comme on dit; alors pourquoi vous faire continuellement du souci, soit permettre à l'eau de la difficulté de s'infiltrer dans toute votre existence en vous lamentant constamment au sujet de votre mauvais sort, et ainsi vous exposer à devoir vivre une vie remplie de nombreuses tensions inutiles? Un chat ne fait pas une dépression nerveuse parce qu'il a manqué d'attraper une souris après avoir consacré de longues heures à lui courir après. Non, au lieu de perdre un temps précieux à se lamenter à cause d'un échec, il se met immédiatement à la recherche d'une autre souris. Un boxeur ne ruine pas sa carrière parce qu'il a encaissé des durs coups lors d'un combat, pour finalement le perdre. Non, le boxeur, tout comme le chat, sait qu'il aura encore de nombreuses autres occasions pour se reprendre. Un bon boxeur apprend à comprendre que c'est finalement grâce à tous les coups durs qu'il encaisse qu'il sera un jour en mesure de pouvoir se mesurer à des adversaires de taille et ainsi de se diriger vers des championnats, des réussites et des succès.

Pourquoi vous faire du souci à cause d'une avarie subie et de courir ainsi le risque de voir couler le navire de votre vie? Apprenez donc à cloisonner votre existence en compartiments étanches en mettant tout simplement l'épreuve, le dommage, ou l'avarie subie sur le compte des profits et pertes. Voilà ce qui vous permettra, quel que soit votre âge ou les circonstances, d'avoir l'esprit beaucoup plus libre pour pouvoir vous occuper d'autres projets et ainsi de prendre un nouveau départ.

En apprenant à imiter les grands navires, c'est-à-dire en cloisonnant votre existence en compartiments étanches, vous réaliserez très vite jusqu'à quel point cette excellente méthode, en plus de vous prémunir contre de nombreuses tensions inutiles, ce qui pourrait faire couler votre navire, vous sera d'un grand secours pour reprendre la mer et vous orienter vers de nouveaux horizons de réussites et de bonheurs jusqu'alors insoupçonnés.

Quelle que soit l'avarie que vous avez subie à cause de certaines circonstances défavorables de votre vie, dites-vous bien que de toutes les expériences du passé, il ne faut apprendre qu'à en tirer des leçons utiles; et s'il convient de se servir de ces leçons afin de planifier raisonnablement l'avenir, c'est dans le PRESENT qu'il importe de vivre. Même si une partie de votre vie a été gâchée par toutes sortes de circonstances ou expériences malheureuses, dites-vous bien que, comme les grands navires, votre vie est dotée de nombreux compartiments et qu'il est toujours possible de continuer de «flotter» lorsqu'on apprend à tourner la page en cloisonnant sa vie en compartiments étanches et en OUBLIANT le passé une fois pour toutes. Donc, agissez ainsi: apprenez à cloisonner votre vie et ce faisant, soyez prémuni contre un flot de tensions inutiles.

10

«Aujourd'hui» est le jour le plus important de votre vie

On dit qu'il faut déployer autant d'efforts pour remettre une chose à plus tard que de l'accomplir à l'instant même. Une pensée appropriée dit que les seules choses qu'on doit remettre au lendemain sont celles qu'on ne doit jamais faire. Tout ceci pour en arriver à dire que le jour le plus important de votre vie, c'est AUJOURD'HUI.

Combien de personnes passent toute leur vie à vivre dans un état de tension continuelle et doivent subir un excédent de stress tout à fait inutile, tout simplement parce qu'elles se sont toujours soumises à la loi du moindre effort, soit celle qui consiste à toujours remettre au lendemain. A notre époque de vitesse inouïe, où le présent devient déjà du passé en moins de vingt-quatre heures, la mauvaise habitude de toujours remettre à demain ne peut faire autrement que s'avérer une source de nombreuses tensions inutiles à quiconque s'y soumet.

Ce matin, vous venez de recevoir votre compte d'électricité, ou votre compte de téléphone. Si vous avez déjà la mauvaise habitude de toujours remettre au lendemain, il est certain que vous n'aurez pas plus de temps demain, ou les jours suivants, pour régler ces comptes. La raison en est qu'à chaque jour, vous allez être aux prises avec diverses tâches à effectuer, et finalement, vous vous retrouverez avec une foule de choses que vous devrez régler à la toute dernière minute; ce qui ne manquera pas de vous attirer de nombreuses tensions que vous devrez inutilement subir. Et toutes ces petites tâches, qui auraient pu facilement se faire au jour le jour, deviendront vite un lourd fardeau qui vous obligera à devoir endurer des tensions inutiles et parfois excessives.

Vous avez un compte à payer, une course à faire, une certaine tâche à accomplir; alors, pourquoi ne pas vous acquitter de toutes ces petites affaires au fur et à mesure qu'elles se présentent au lieu de les remettre sans cesse au lendemain? Faites donc AUJOURD'HUI même ce que vous devrez faire un jour ou l'autre de toute façon. Ainsi, vous aurez plus de temps pour vous occuper d'autres tâches, plus de temps pour vous reposer, vous détendre, et aussi pour vous distraire sainement avec votre famille. Et ceci, moins la tension inutile que vous n'aurez pas la peine de supporter inutilement à force de courir constamment afin de rattraper le temps perdu.

Une personne que vous connaissez vous a causé un tort quelconque; que ce soit par une action ou une parole désobligeante de sa part, ce qui ne manque pas de vous soumettre à une certaine tension. Au lieu de vous énerver et d'endurer des tensions tout à fait inutilement ou encore de crier à qui veut l'entendre toute l'ingratitude ou la méchanceté de la personne en question, pourquoi ne pas aller, AUJOURD'HUI même, trouver cette personne et vous expliquer avec elle, c'est-à-dire régler toute l'affaire entre ELLE et VOUS SEUL? «Soyez courroucés et pourtant ne péchez pas; que le soleil ne se couche pas sur votre irritation», d'écrire l'apôtre Paul aux disciples d'Ephèse. Combien d'individus pèchent contre eux-mêmes en se mettant inutilement en colère, en devenant haineux, et en se soumettant à toutes sortes de tensions dès que quelqu'un leur a causé un tort quelconque. Toute cette tension inutile peut être facilement évitée; il s'agit de cultiver la bonne habitude de faire en sorte que chaque problème ou conflit soit réglé AUJOUR-D'HUI même et de ne rien laisser en suspens qui pourrait enlever la tranquillité d'esprit. Et dans bien des cas, lorsqu'une personne, qui se sent lésée, prend l'initiative de régler toute l'affaire, elle découvre qu'après tout, l'affaire en question ne mérite quand même pas d'en faire un drame.

Oui, faites IMMEDIATEMENT, ou AUJOUR-D'HUI même, ce que vous avez le pouvoir de faire durant l'instant présent ou le jour même. En cultivant la bonne habitude d'agir ainsi, vous serez beaucoup moins tendu, vous vous éviterez la peine de devoir toujours courir après la montre afin de rattraper le temps perdu, vous aurez plus de temps à consacrer au repos ainsi qu'à des activités plus agréables; et de plus, vous éprouverez cette profonde impression d'être entièrement maître de votre temps, de vos occupations, de vos loisirs; en somme, de votre existence tout entière.

Cultivez la bonne habitude d'opérer sur trois plans: à court terme, à moyen terme, et à long terme. Faites AUJOURD'HUI les choses qui doivent se faire tôt ou tard, apprenez à discerner et à retarder les autres choses qui requièrent une certaine période de temps pour mieux les examiner et mieux réfléchir quant à la décision à prendre, et finalement, étirez à plus long terme les décisions qui impliquent d'autres personnes, tels les autres membres de votre famille par exemple, lesquels doivent obligatoirement donner leurs diverses opinions pour ce qui est d'un déménagement, l'acquisition d'une maison, faire un voyage; soit les choses importantes qui les concernent.

On dit que rien ne laisse plus de loisirs que d'être à l'heure à ses rendez-vous. Gardant cette pensée à l'esprit, cultivez donc la bonne habitude de vous occuper DES MAINTENANT et sans tarder des choses au fur et à mesure qu'elles se présentent à vous. Vous verrez jusqu'à quel point, tôt ou tard, cette bonne façon d'agir ne tardera pas à porter d'excellents fruits. Et en plus de vous sentir rehaussé dans votre propre estime, vous serez ainsi prémuni contre de nombreuses tensions inutiles de la vie moderne, tensions inutiles que doivent sans cesse subir tous les retardataires et les négligents de notre siècle de la vitesse.

11

N'entreprenez pas de projets au-delà de vos capacités

Il y a de cela quelques années, des baigneurs s'amusaient gaiement sur une plage au bord d'un petit lac. A un moment donné, certains membres du groupe entreprirent de faire la traversée du lac à la nage; ceci, dans un certain esprit de compétition. Un des baigneurs, qui ne savait presque pas nager, se risqua à entreprendre la traversée du lac en question. Mais après avoir réussi à nager sur une distance d'environ une centaine de mètres, cet apprenti nageur ressentit une très vive douleur à la poitrine et les forces lui manquèrent complètement. Comme il y avait plus de quatre mètres de profondeur d'eau à l'endroit où il se trouvait, l'homme commença à couler tout en étant incapable d'appeler du secours. N'eût été la présence d'esprit d'une compagne qui se trouvait tout près de lui, ce baigneur, qui venait de subir une attaque cardiaque, se serait sans aucun doute noyé.

Tout en sachant bien ne pas être un nageur expérimenté, cet homme-là n'en a pas moins entrepris la traversée du lac à la nage, une aventure beaucoup trop ardue pour lui. Il a ainsi posé un tel geste au risque de sa vie. Pourquoi, et pour qui, a-t-il pris un tel risque avec sa vie? Nul ne le sait. Par la suite, cet homme a reconnu avoir tout simplement posé un geste stupide, et jamais plus, promit-il, il ne prendrait de tels risques inutiles avec sa vie, soit en entreprenant des projets qui sont nettement au-delà de ses capacités.

Il en est ainsi pour de nombreuses personnes dont l'ambition, ou l'orgueil, les incitent souvent à entreprendre certains projets qui sont de beaucoup au-delà de leurs forces, de leurs moyens et de leurs capacités. Si vous êtes l'une de ces personnes qui insistez pour égaler, compétionner, ou même dépasser les autres, vous ne manquerez pas de vous soumettre à un excédent de tensions inutiles, ou de vous exposer à subir de nombreuses difficultés, dont certaines peuvent vous être fatales.

Un ouvrier qui travaillait à un salaire modique a insisté pour «montrer» à ses parents, ses amis et ses voisins qu'il pouvait, lui aussi, mener une vie de petit prince. Il commença d'abord par acheter une maison un peu trop luxueuse pour ses moyens, ce qui obligea sa femme à devoir travailler à l'extérieur, car le salaire du mari était nettement insuffisant pour le paiement mensuel de l'hypothèque. Cet homme-là avait un voisin dont les moyens financiers étaient plus substantiels, ce qui lui permettait de se procurer certains objets de luxe sans trop grever le budget familial. Un jour, le voisin décida de faire installer une piscine très luxueuse dans la cour de sa propriété, ce qui ne manqua pas d'exciter l'envie et l'esprit de compétition de notre ouvrier. Insistant à tout prix afin de «montrer» à son voisin qu'il était «quelqu'un» lui aussi, notre ambitieux s'empressa d'imiter le geste de son voisin en faisant installer le même type de piscine dans sa cour. N'ayant pas les économies nécessaires, cet homme dut emprunter une importante somme d'argent auprès d'une compagnie de finance, ce qui l'obligea à accepter un prêt avec un taux d'intérêt dépassant les vingt pour cent.

C'est à partir du mois suivant, soit à la date d'échéance du premier versement sur la piscine, que tout commença à mal aller. La femme dut, pour combler le déficit mensuel, accepter un deuxième emploi, dans une boîte de nuit cette fois-ci; ce qui ne manqua d'être une source de querelles entre elle et son mari excessivement jaloux. Les enfants, qui devaient se débrouiller seuls, commencèrent à commettre certains actes répréhensibles, dont la jeune fille de seize ans qui, un jour, arriva enceinte à la maison. Le père, dépassé par les événements et découragé à cause des trop lourdes difficultés financières et autres qui lui tombaient sur le dos, difficultés auxquelles il était loin d'être étranger, commença à chercher refuge dans les boissons alcooliques. Finalement, suite à des absences répétées à cause de la boisson, il perdit son emploi, ce qui n'améliora pas sa situation.

Pour terminer cette triste histoire, cet homme dut déclarer une faillite personnelle. En plus de perdre tout l'argent qu'il avait déjà versé sur ses biens, il perdit sa femme qui le quitta pour aller vivre avec un autre homme. Sa fille, qui avait donné naissance à son bébé, se mit en ménage avec un jeune paresseux adonné à la drogue. Finalement, ses autres enfants furent confiés à divers foyers d'adoption par la cour de justice. Six mois plus tard, on retrouva le cadavre de cet homme le long d'un important cours d'eau, tout près d'un pont élevé. L'affaire fut classée comme un cas de suicide.

Vous pensez peut-être qu'il s'agit là d'une histoire sans aucun fondement? Si c'est là votre idée, regardez autour de vous et vous ne manquerez pas de constater dans quelles lamentables conditions de vie doivent se soumettre de nombreuses familles, tout simplement parce qu'elles se sont aventurées dans des projets qui étaient au-delà de leurs capacités.

Quelle triste fin réservée à un homme qui n'a pas appris à se limiter à n'entreprendre que des projets qui soient à l'intérieur de ses capacités. Sous l'effet de la tension trop forte, cet homme-là a choisi d'en finir avec la vie. Toute une famille a dû payer chèrement les gestes insensés posés par un ambitieux qui a insisté pour vivre au-delà de ses moyens. Ce n'est là qu'un exemple, mais un exemple qui montre bien jusqu'où peut mener le fait de ne pas se limiter à n'entreprendre que des projets qui soient adaptés aux possibilités et aux capacités d'un individu, quel qu'il soit.

Pourquoi vous aventurer dans des entreprises hasardeuses, qui sont nettement au-delà de vos capacités, ou de vos forces, si ces aventures risquent de vous apporter des doses excessives de stress ou de tension, de ruiner votre bonheur et votre vie conjugale, d'ébranler les bases même de votre vie familiale, de vous endetter au-delà de vos capacités de payer, et souvent, de détruire votre existence même? Si vous ne pouvez être qu'un simple commis dans une épicerie, il vaut mieux pour vous qu'il en soit ainsi; et tout en accomplissant votre humble travail, que vous disposiez d'assez de temps libre pour vous reposer, vous distraire sainement avec les autres membres de votre famille, et ainsi, être moins tendu, dormir mieux et vivre plus heureux et plus longtemps. Pourquoi insister à vouloir devenir le grand patron d'un vaste complexe alimentaire si vous n'en n'avez pas les moyens physiques ou financiers; et si, pour parvenir à réaliser vos ambitions, vous devez sacrifier votre temps réservé au repos, vos responsabilités familiales et conjugales, et aussi, vous exposer à devoir vivre dans un état constant de tension?

En pensant au monde des affaires et à celui de la politique, n'oubliez pas que ces domaines d'activités sont ceux qui tuent le plus d'êtres humains à notre époque. Que ce soit à cause des

97

tensions qui deviennent trop fortes, des responsabilités qui sont trop lourdes à supporter ou encore
à cause de l'orgueil ou d'une ambition mal placée;
combien d'individus, encore jeunes, ont connu
une mort prématurée à la suite de tensions
excessives supportées sur une trop longue période
de temps.

Si votre voisin, qui gagne peut-être quatre fois
le montant de votre salaire, a les moyens de se
procurer une nouvelle voiture chaque année,
d'acheter un nouveau manteau de fourrure à son
épouse tous les trois ans, de faire installer des
téléviseurs en couleur dans chacune des pièces de
sa maison, pourquoi insister à l'égaler à tout prix,
à le dépasser même? Il est vrai qu'à notre époque,
où le crédit est rendu facilement accessible même
aux gens les plus pauvres, il n'est pas difficile de
satisfaire ses moindres désirs matérialistes. Mais, il
ne faut surtout pas l'oublier, les troubles et les
difficultés ne commencent jamais lors des visites
dans les grands magasins pour effectuer de
nombreux achats à crédit. Non, c'est plutôt le jour
où les premiers versements doivent être effectués
que commencent les graves ennuis; ce qui, en
retour, ne manque pas de créer un climat de forte
tension au foyer. Ce n'est pas sans raison si c'est
après la période des fêtes commerciales de fin
d'année que des foyers connaissent leurs pires
périodes de perturbations. Donc, pourquoi insister
à égaler, à dépasser les autres ou encore à désirer
de nombreux biens matériels, si pour satisfaire vos
désirs, vous devez vous endetter parce que vous
n'êtes pas en mesure de payer vos achats au

comptant? N'oubliez pas que ni l'emploi, ni la possession de biens matériels, n'ont un rapport quelconque avec le bonheur, les joies de la vie, ou même la naissance, la vie ou la mort.

Le malheur, dans notre monde actuel, c'est qu'au lieu de demeurer à la place qui convienne à chacun, selon ses moyens et capacités, et d'apprendre à y trouver tout ce qu'il y a de joie et de bonheur, la plupart des individus essaient d'imiter, d'égaler, ou de dépasser les autres, et tout le monde veut vraiment se sentir «quelqu'un». Et bien souvent, tout s'effectue inconsciemment sans trop savoir pourquoi. De nos jours, on sait «comment» on peut se procurer facilement la dernière voiture de l'année, même si on n'a pas les moyens de se l'offrir; mais souvent, on ne sait pas «pourquoi» on doit s'imposer un tel fardeau financier. Et tout ce processus ambitieux, cette soif inouïe de prestige et de grandeur, s'effectue, bien souvent, au détriment de valeurs plus importantes que beaucoup de gens n'hésitent pas à sacrifier: bonheur conjugal et familial, tranquillité d'esprit, repos, détente, calme, paix, sommeil reposant, etc. Que de bonheurs légitimes et de joies saines de la vie sont inutilement sacrifiés sur l'autel des sacrifices du dieu des plaisirs, de l'orgueil, du matérialisme et de l'ambition!

Vous voulez vous prémunir contre le stress et les tensions excessives de la vie moderne? Vous tenez à préserver intactes vos bonnes relations conjugales et familiales? Vous voulez vous réserver du temps pour vous reposer, vous distraire sainement, demeurer calme et bien dormir en toute tranquillité d'esprit? Alors, si ce sont là vos désirs sincères, n'entreprenez jamais de projets qui soient au-delà de vos capacités, et n'oubliez jamais que... «Mieux vaut un bon repos qu'un bon lit.»

12

Apprenez à discerner les vraies valeurs de l'existence

On dit qu'«Une belle femme plaît aux yeux et qu'une femme bonne plaît au coeur; que l'une est un vase d'or et l'autre un trésor.» Bien qu'une femme puisse être bonne et belle à la fois, ce qui en fait un vase d'or rempli d'un trésor, il convient d'apprendre à retirer toute la leçon contenue dans cette pensée. Une leçon qui démontre toute l'importance qu'il y a à mettre l'accent sur les vraies valeurs de l'existence.

Tout est rendu plus facile à notre époque; nos foyers sont plus confortables, ils sont remplis d'appareils et d'accessoires pratiques et distrayants, telle la télévision par exemple; sans compter l'automobile qui nous a rendu la vie beaucoup plus facile et agréable ces dernières années. En somme, on peut dire que notre ère moderne nous a apporté une foule de choses qui nous rendent la vie beaucoup plus facile à vivre, tout en nous rendant des services inestimables.

Comme la vie était difficile et rude autrefois; nos grands-parents devaient travailler très dur pour se procurer les nécessités de l'existence, et c'est souvent dans un état constant de pauvreté qu'ils devaient se résigner à vivre leur vie entière.

Si la vie nous est rendue plus facile à notre époque, combien de personnes n'ont pas hésité à sacrifier les vraies valeurs de l'existence afin de se procurer les nombreuses facilités que notre monde moderne a à offrir. A notre époque où la télévision est installée dans presque tous les foyers, peut-on dire que les relations familiales sont plus chaleureuses, moins tendues et plus amicales? De nos jours, presque tout le monde a son automobile, mais peut-on affirmer que l'amour du prochain en est sorti grandi? Il suffit de constater quel genre de regards se lancent les automobilistes pour réaliser jusqu'à quel point les relations humaines tendent à se dégrader de plus en plus. Si vous croyez que l'automobile a rendu les hommes meilleurs, alors essayez de traverser une rue achalandée en fin d'après-midi, alors que les travailleurs s'en retournent dans leurs foyers. Aujourd'hui, le magasinage est rendu beaucoup plus facile et agréable à cause des vastes complexes commerciaux qui existent un peu partout, mais peut-on dire que les gens se parlent davantage, ou sont plus heureux pour autant? Il suffit de regarder toutes ces mines tristes et ces visages tendus qui se promènent dans les centres d'achats modernes pour se rendre compte que ce n'est pas dans ce genre d'endroits qu'une personne peut puiser une dose de joie et de réconfort.

De nos jours, de nombreux chefs de famille s'efforcent d'atteindre les sommets, de réussir comme on dit, et de gagner de meilleurs salaires; mais peut-on dire que tous les parvenus de notre époque sont devenus de meilleurs maris, plus aimants, plus tendres, plus fidèles? Ou encore, peut-on dire de tous ces hommes qui «réussissent bien» comme ils le prétendent, qu'ils sont de meilleurs pères de famille, qui s'occupent bien de leurs enfants, soit en pourvoyant affectueusement à leurs besoins spirituels et affectifs, et non pas à leur procurer seulement du superflu matériel? En y regardant de plus près on constate, il est vrai, que de nombreux hommes réussissent bien en affaires, mais jamais comme à notre époque a-t-on vu autant d'épouses délaissées et d'enfants qui se sentent de plus en plus seuls et démunis sur les plans spirituel, affectif et émotif.

Vous connaissez peut-être l'histoire de Jean-Paul Getty. Dans sa biographie «A quoi sert un milliardaire?», publiée en 1976, cet homme, l'un des plus riches qui soit, avoue humblement ce qui suit: «Comment ai-je été capable de construire ma propre automobile, de creuser des puits de pétrole, de diriger une usine d'aéronautique, de fonder et de diriger un empire économique, et me suis-je pourtant montré incapable de mener à bien une seule de mes relations matrimoniales?... Mon record, d'ajouter Jean-Paul Getty: cinq mariages et cinq divorces. Autant parler de cinq échecs.» Si vous croyez que tous les millions de Jean-Paul Getty lui ont procuré le vrai bonheur, lisez ce qu'il ajoute au sujet des vraies valeurs de l'existence: «Je ressens une jalousie terrible à l'égard de ceux qui sont capables de réussir un mariage heureux. C'est là un art que je n'ai jamais été capable de maîtriser.» Ce n'est là qu'un exemple, mais nous pourrions citer des centaines d'autres cas d'individus qui, bien qu'étant parvenus au sommet de la réussite ou de la gloire, se sont finalement rendu compte, mais souvent trop tard, que toutes les réussites matérielles ou prestigieuses de ce monde étaient de bien peu de valeur comparées aux vraies valeurs de l'existence: un mariage heureux, la tranquillité d'esprit et une famille heureuse et unie.

A notre époque, où la femme est maintenant en mesure de satisfaire et de pourvoir elle-même à ses prores besoins matériels, peut-on dire que sa vie conjugale en est sortie grandie? Alors qu'on attache tant d'importance aux commodités matérielles de nos jours, que ce soit d'acquérir une belle maison le plus tôt possible, une belle auto de modèle récent, les plus beaux meubles; avoir en sa possession le plus de cartes de crédit (lire: débit) possible, ou encore se procurer le plus grand nombre d'articles étalés dans les grands magasins, peut-on dire que les relations humaines, familiales ou conjugales en sont sorties grandies? On n'a qu'à regarder tous ces foyers brisés, ces ménages désunis, ces cas d'infidélité conjugale, cet abus de la drogue chez de nombreux adolescents, ce fléau grandissant qu'est l'alcoolisme, le fléau des maladies vénériennes, les nombreux cas de suicides, les nouvelles prisons et asiles psychiatriques qui se bâtissent à un rythme accéléré, pour finalement se rendre compte que si les commodités matérielles de la vie moderne peuvent contribuer à rendre la vie plus facile et agréable à vivre, ce ne sont certainement pas toutes ces commodités matérielles qui constituent, à elles seules, les vraies valeurs de l'existence.

Que dire de la période des fêtes de fin d'année par exemple? Combien de parents n'hésitent pas à s'endetter au-delà de leurs possibilités de payer, afin d'acheter toutes sortes de cadeaux à leurs enfants, cadeaux qu'ils ne méritent même pas bien souvent? Croyez-vous que les enfants de ces parents qui se sont souvent endettés jusqu'au sacrifice en sortiront meilleurs, plus heureux, plus affectueux, plus reconnaissants envers leurs parents? On est toujours heureux de recevoir un cadeau qu'on s'est mérité, mais lorsque des enfants reçoivent des cadeaux qu'ils n'ont pas mérités et qui leur ont été proposés par un système commercial de plus en plus avide, lequel système n'hésite nullement à s'abriter derrière un quelconque «Père Noël», comment s'attendre à ce que des enfants en sortent grandis dans leur affection envers leurs parents, et en belles qualités intérieures qui leur seront profitables dans leur vie future qu'ils auront à vivre?

Oui, combien de personnes à notre époque vivent dans un état continuel de tensions, de stress excessif, tout simplement parce qu'elles ne savent pas discerner les VRAIES VALEURS de l'existence! Ce n'est que lorsqu'on apprend à identifier quelles sont les vraies valeurs qui peuvent nous améliorer, nous rendre meilleur et plus heureux sur le plan individuel, conjugal, familial et social, qu'on en arrive à se prémunir contre les tensions excessives de la vie moderne, lesquelles tensions sont le lot quotidien de la masse des individus qui ne cessent de se sacrifier pour des valeurs qui sont bien éphémères.

S'il n'est pas mal de profiter sagement et raisonnablement des commodités que notre système moderne a à offrir, il convient d'abord d'apprendre à mettre l'accent sur la recherche des valeurs sûres de l'existence, soit les VRAIES VALEURS. Si les valeurs matérielles sont éphémères et ne durent qu'un temps, soit le temps d'un feu de paille, les autres valeurs, elles, sont permanentes, et ce sont elles qui font que les relations humaines, conjugales et familiales, sont plus agréables à vivre. Si la recherche effrénée des valeurs éphémères de l'existence a conduit plus d'individus à la déception et à une mort prématurée que toutes les guerres de l'histoire humaine (crises cardiaques, meurtres, etc.), les vraies valeurs de l'existence, elles, ne déçoivent jamais ceux qui les recherchent. Bien au contraire, elles rendent plus heureux quiconque s'efforce de les découvrir, elles préservent contre les tensions inutiles et excessives de la vie moderne, et finalement, elles font d'un monde qu'il soit meilleur.

Vous voulez être heureux? Vous voulez être apprécié et aimé de votre femme? Vous voulez être comblée par votre mari? Vous voulez que vos enfants vous apprécient plus tard? Vous voulez vous prémunir contre le stress exagéré et les tensions inutiles de la vie moderne? Si ce sont là vos vrais désirs les plus chers, alors, apprenez à discerner les VRAIES VALEURS de l'existence.

Et quelles sont ces vraies valeurs de la vie qu'il importe d'apprendre à identifier et à acquérir afin de pouvoir être plus heureux, moins tendu et plus calme? Pour l'homme, le mari et le père, c'est de cultiver les belles qualités qui feront de lui un meilleur ami, un mari sûr et fidèle, un mari compréhensif envers les besoins affectifs et émotifs de sa femme; c'est aussi de cultiver les belles qualités qui feront de lui un père qui prend à coeur la formation morale et spirituelle de ses enfants. Un bon père est un homme qui consacre du temps à parler et à discuter avec ses enfants et à les entretenir des diverses choses qui leur seront essentielles et utiles afin d'être en mesure de devenir des adultes préparés pour la vie qu'ils auront à vivre plus tard. «Elève le garçon selon la voie qu'il doit suivre...» conseille la Bible aux pères de famille. Un bon père, et aussi un bon mari, ne sacrifiera jamais le temps qu'il doit consacrer à sa femme et à ses enfants en échange de plus de prestige ou de plus grandes possessions et commodités matérielles. Ce ne sont pas les superflus matériels qui feront d'un homme qu'il sera plus apprécié de sa femme et de ses enfants; ce sont plutôt ses belles qualités de mari aimant et fidèle, de père attentif et disponible pour ses enfants, qui le feront apprécier, et même admirer par ses proches.

Pour la femme, l'épouse et la mère, les VRAIES VALEURS de l'existence sur lesquelles elle s'appliquera à travailler sont la douceur, la bonté, la coopération, le soutien; en somme, toutes les qualités qui contribueront à faire d'elle un «trésor» qui soit de grande valeur aux yeux de son mari et de ses enfants. Dans une de ses lettres, le vieil apôtre Pierre adresse ce sage conseil aux femmes de notre époque:«Que votre parure ne soit pas une parure tout extérieure qui consiste à avoir les cheveux tressés, à mettre des ornements d'or ou à porter des vêtements de dessus (qui soient trop luxueux), mais qu'elle soit la personne cachée du coeur, dans le vêtement incorruptible de l'esprit calme et doux, qui est d'une grande valeur aux yeux de Dieu.» Si les belles qualités du coeur mentionnées par Pierre sont d'une grande valeur aux yeux de Dieu, ces mêmes qualités ne manqueront certainement pas d'être remarquées et appréciées par le mari, tôt ou tard.

Lorsqu'une femme ne met l'accent que sur la beauté extérieure, soit les vêtements de grand luxe, les bijoux coûteux, ou l'importance du compte en banque, elle ne tarde pas à être déçue; car toutes ces valeurs, bien qu'étant fortement recherchées à notre époque, sont bien éphémères dans un monde où le vieillissement fait rapidement des ravages. Et lorsqu'une femme commence à vieillir, elle a besoin d'être sérieusement dotée de belles valeurs «intérieures» si elle tient à s'assurer une vieillesse heureuse et comblée par un conjoint toujours aimant. «La personnalité cachée du coeur»: voilà quelles sont les VRAIES VALEURS de l'existence sur lesquelles la femme, l'épouse, la mère se doit de mettre l'accent et de rechercher comme «une perle précieuse de grande valeur».

Les personnes qui mettent exclusivement l'accent sur les valeurs éphémères de l'existence ne tardent pas à connaître de cruelles déceptions; cela, en plus de vivre dans un état constant de tension afin d'accumuler un nombre sans cesse croissant de biens matériels. Si vous choisissez de ne rechercher que ce genre de valeurs, alors vous vous exposez à être «transpercés de bien des douleurs»; car le jour où vous aurez besoin que quelqu'un soit compréhensif envers vous, vous soit fidèlement attaché, et vous aime du plus profond de son coeur, sans aucun égard pour ce qui est des apparences extérieures, il vous faudra alors être solidement muni de valeurs intérieures sûres et solides si vous tenez à être prémuni contre les nombreux désagréments du deuxième et du troisième âge de l'existence.

Par contre, si vous vous efforcez, dès maintenant, d'identifier et de rechercher les VRAIES VALEURS de l'existence, vous ne manquerez jamais d'amis fidèles et loyaux, vous ne manquerez jamais de compréhension ou d'affection conjugale, fraternelle ou familiale; vous deviendrez une personne désirée et recherchée à cause des belles qualités intérieures que vous aurez appris à développer, et aussi à cause de votre belle réputation qui ne manquera pas d'être finalement connue de tous. Et en plus de tous ces avantages, vous serez solidement prémuni contre toutes ces tensions inutiles et néfastes apportées par une vie moderne souvent mal comprise et mal vécue. Tout cela, en plus de connaître une longue vie de bonheur, de calme et d'équilibre. Donc, apprenez à discerner quelles sont les VRAIES VALEURS de l'existence, et ainsi, profitez pleinement et raisonnablement de tout ce que la vie a de meilleur à vous offrir.

13

Faites des choix et établissez des priorités

Pour chacun de nous, qui que nous soyons, chaque journée ne renferme que vingt-quatre heures, les semaines n'ont que sept jours chacune, les mois ne renferment que trente jours (en moyenne), et les années n'ont que douze mois. Si de ce temps, nous déduisons les nuits consacrées au sommeil, les heures réservées aux divers repas, les périodes de repos, ainsi que les heures qui doivent être consacrées pour travailler et se distraire, ces périodes de temps, soit les jours, les semaines, les mois et les années, se trouvent fort réduites. De plus, si nous déduisons de la durée de la vie les vingt premières années, lesquelles sont consacrées à la formation et à l'éducation d'un être humain; et si nous enlevons les années de la vieillesse, il ne reste donc plus qu'une cinquantaine d'années de vie productive pour chaque individu, quel qu'il soit. Il ne faut pas non plus oublier, de ces cinquante années de vie productive, de soustraire tout le temps qui pourrait être perdu advenant un accident ou la maladie.

Oui, dans notre système actuel, où l'héritage de la vieillesse et la mort nous a été légué par nos premiers parents, notre temps de vie productive est vraiment limité; et si nous tenons à profiter pleinement des «bonnes années» dont nous disposons, il est essentiel de faire des choix, d'établir des priorités. Autrement, la vie ne sera vécue que dans un état constant de tensions, étant donné qu'il est absolument impossible de rattraper le temps perdu ou celui qui est inutilement gaspillé.

Combien de personnes arrivent à l'âge de la quarantaine, ou de la cinquantaine, tendues, pressées de toutes parts et découragées de la vie; ceci, tout simplement parce qu'elles se rendent compte tout à coup de la rapidité de la vie, ou encore avec quelle lamentable négligence elles ont gaspillé les meilleures années de leur vie. Quand on est jeune, on dispose de plus de temps, et c'est bien à tort que de nombreux jeunes pensent qu'ils peuvent se payer le luxe de gaspiller les premières années de leur vie. C'est lorsqu'on est plus jeune, soit durant le temps de la première partie de l'existence, qu'il importe de bien employer les années de la jeunesse afin d'acquérir une solide formation, laquelle formation est si utile pour pouvoir être en mesure de traverser allègrement les années de la deuxième et de la troisième partie de la vie. Que c'est triste de voir tous ces jeunes gens gaspiller inutilement leur temps, lamentablement accrochés au «Bien-Etre social», ou à l'Assurance-Chômage, alors qu'ils sont physiquement et mentalement en mesure de profiter de la meilleure période de formation de leur existence.

Dans notre monde de loisirs où la majorité des gens trouvent le moyen de perdre plus de trente heures par semaine à «tuer le temps» devant leur appareil de télévision, il est certain que vous ne manquerez pas de rencontrer, surtout si vous êtes une personne active et productive, de ces individus qui essayeront, par tous les moyens possibles, de vous «voler» votre précieux temps.

C'est un fait que nous sommes de plus en plus sollicités de toutes parts par ces «assassins du temps» de notre époque moderne; et il importe de faire des choix et d'établir des priorités afin de ne pas se laisser prendre au piège par ces «vampires» assoiffés de temps. Combien de temps inutilement perdu au téléphone, engagés dans des conversations qui n'apportent absolument rien de positif et de constructif. Combien de temps perdu à attendre après les autres. Combien de temps perdu à corriger et à réparer les erreurs de tous les négligents et les distraits de notre siècle. Combien de temps perdu à gagner la vie de tous les paresseux qui ne disposent même plus d'idées créatrices. Combien de temps perdu à discuter inutilement avec des gens qui ne trouvent de la jouissance de vivre qu'en se régalant des malheurs des autres. Que de temps perdu à haïr son prochain, à entretenir une vieille rancune qui ne cesse de tuer l'énergie mentale; à lire des romans, et aussi à regarder vivre les autres. Pour vous rendre compte jusqu'à quel point notre époque est celle où il se gaspille le plus de temps, établissez une liste de tous les petits moments que vous consacrez à des choses futiles, ou encore notez tout le temps que les autres essaieront de vous faire perdre durant un mois. Vous serez effrayé du résultat à la fin de votre expérience.

S'il n'est pas mal, et même parfois essentiel, de se reposer, de se distraire sainement, de dormir ou de s'amuser de façon raisonnable et équilibrée, il est, par contre, «mortel» de ne penser qu'à gaspiller son temps à tous les prétendus «passe-temps» de notre siècle.

Combien de personnes ont sagement profité de quelques minutes économisées ici et là, et ont ainsi pu apprendre à maîtriser une nouvelle langue, une nouvelle science, un nouveau métier, etc. Un père de famille, qui ne consacrait que trente minutes par jour à l'étude du droit, a pu, après la trentaine, entreprendre des études qui ont fait de lui un bon avocat. Un chômeur, qui employait sagement une grande partie de son temps, ce dont il disposait en abondance, a inventé un jeu qui est vite devenu mondialement apprécié de tous: il s'agit du fameux jeu de Monopoly. Une mère de famille devint écrivain en consacrant quelques minutes par jour à rédiger une page de manuscrit. Un père de famille, qui perdit son emploi à la suite de certaines difficultés économiques subies par son employeur, s'est immédiatement mis à la tâche afin d'acquérir une certaine formation dans le domaine de l'entretien des édifices commerciaux. Après seulement quelques années d'opération, sa petite entreprise emploie maintenant une dizaine de personnes. Un jeune homme, qui ne pouvait trouver de l'emploi, s'est appliqué à apprendre cinq nouveaux mots d'une nouvelle langue chaque jour. Maintenant, ce jeune homme maîtrise parfaitement l'anglais, le français et l'espagnol; et à l'heure actuelle, il a un bon emploi comme traducteur dans une importante maison d'édition américaine.

Combien de personnes ont pu, en profitant sagement de leurs moments de loisir, entreprendre une nouvelle carrière; ceci, grâce à l'acquisition de connaissances durant leurs moments de solitude. Ces gens-là n'ont pas perdu leur temps, et lorsqu'ils seront confrontés avec une difficulté quelconque, comme la maladie ou le chômage par exemple, ils ne seront pas soumis à toutes sortes de tensions inutiles que connaissent ceux qui sont désemparés.

Par contre, combien d'individus perdent mortellement un temps précieux qu'ils auraient avantage à mieux utiliser, soit en acquérant une formation dans un deuxième métier par exemple; ce qui, en retour, les servirait grandement dans l'avenir. Les brasseries et les discothèques sont remplies à craquer de jeunes individus, chômeurs ou assistés sociaux, qui auraient grandement profit à employer plus sagement tout ce temps libre dont ils disposent. Et plus tard, la majorité de ces «tueurs de temps» se lamenteront de leur infortune, ou de leur «manque de chance» dans la vie. Pourtant, quand une personne a sagement employé le temps dont elle disposait afin de s'améliorer dans un domaine quelconque, doit-on parler de «chance»? Non, on doit plutôt parler d'une personne pratique qui a appris à fabriquer elle-même sa propre chance.

Dans quelque domaine que ce soit, apprenez à faire des choix, à établir des priorités. Ainsi, vous serez mieux prémuni contre les tensions inutiles et excessives qui sont le lot constant des nombreuses personnes qui doivent maintenant courir afin de rattraper le temps qu'elles ont inconsidérément gaspillé.

Si vous vous trouvez temporairement sans emploi, profitez donc de la grande quantité de temps libre dont vous disposez pour acquérir une formation qui pourra vous servir dans la recherche d'un autre emploi. Au lieu de perdre un temps précieux à vous lamenter contre le chômage, ou du fait que les emplois sont rares, efforcez-vous plutôt de chercher ce qui serait le plus apprécié d'un employeur éventuel. Oui, créez votre propre emploi. Pensez et réfléchissez un peu, vous verrez que ce ne sont pas les nouveaux emplois qui manquent.

Un «voleur de temps» essaie de vous «voler» votre temps par l'entremise du téléphone. Alors, n'hésitez pas à lui signifier, avec tact mais fermement, que vous êtes occupé; ainsi, vous

vous éviterez de nombreuses tensions inutiles par le fait que vous n'aurez pas besoin de courir pour rattraper ce temps inutilement perdu au téléphone.

Une personne de votre entourage vous a causé un tort quelconque. Alors pourquoi ne pas tout simplement oublier l'affaire IMMEDIATEMENT si la chose n'est pas grave, au lieu de perdre un temps précieux à vous tracasser inutilement l'esprit, ce qui vous empêcherait, à cause de l'excès de tension inutilement subi, de vaquer à d'autres occupations plus importantes. Dans ce domaine aussi, soit celui des relations humaines, il importe de faire des choix, d'établir des priorités; ceci, afin de ne s'occuper que des choses qui méritent une attention réelle de votre part.

Quand vous vous promenez sur le trottoir et qu'un petit chien se met à japper après vous, vous ne commencez pas à vous mettre en colère ni à argumenter contre le chien à cause de son manque de «savoir-vivre». C'est certain que c'est très impoli de japper ainsi après les passants, même de la part d'un chien. Mais vous n'argumentez pas avec le petit chien tout simplement parce que votre intelligence et votre raison vous ont appris que toute discussion avec le petit chien serait absolument inutile. Donc, vous continuez votre chemin sans même tourner la tête; et vous n'êtes pas aussitôt arrivé au prochain tournant que déjà vous n'entendez plus les jappements du chien. Imaginez ce qui se serait passé si vous vous étiez mis en colère contre le petit chien, ou si vous vous étiez arrêté afin d'expliquer au chien que son comportement n'est pas correct. Toutes vos explications, toute votre colère et toute votre tension n'auraient absolument servi à rien. Et vous comprenez pourquoi? Tout simplement parce que le petit chien est dépourvu de toute faculté de raisonner et vous ne feriez pas autre chose que de perdre votre temps en essayant d'argumenter avec cette bête.

Agissez donc avec autant de sagesse dans la conduite de votre vie. Apprenez à faire des choix et à établir des priorités en ne vous occupant que des choses importantes qui méritent une certaine attention de votre part, et à ne pas gaspiller inutilement votre temps à tous les «petits chiens» de la vie qui ne cessent de «japper» après vous: soit toutes les personnes médisantes, toutes les personnes qui vous jalousent, toutes celles qui parlent en mal de vous, toutes les autres qui essaient de vous voler votre temps, tous les programmes de télévision qui veulent vous empêcher de profiter sagement de vos moments de loisir, tous les écrits inutiles qui vous font perdre un temps précieux, ainsi que tous les êtres insupportables qui ne cessent de vous agacer. Si vous insistez pour vous occuper de toutes les «pécadilles» de l'existence, vous ne manquerez pas de vous exposer à devoir supporter de nombreuses tensions inutiles; ceci, en plus de perdre inutilement votre temps.

Par contre, si vous cultivez la bonne habitude de faire des choix, d'établir des priorités en ne vous occupant que des événements et des choses qui en valent vraiment la peine, vous économiserez beaucoup de temps précieux; ceci, en plus de vous prémunir contre un flot de tensions inutiles et souvent excessives.

Cultivez aussi la bonne habitude d'établir un emploi du temps qui soit à la fois pratique, flexible, raisonnable et équilibré. Dans votre emploi du temps, que vous prendrez soin de rédiger par écrit, et de reviser de temps à autre, soit chaque mois par exemple, tenez compte des choses essentielles que vous devez faire, telles les heures qui doivent être consacrées au travail, aux repas, au repos et à la détente en famille. Vous ne tarderez pas à réaliser jusqu'à quel point un emploi du temps bien établi peut s'avérer un atout très précieux et très efficace pour quiconque veut vraiment réussir sa vie, et aussi se prémunir contre tous les «assassins du temps» et les tensions inutiles de notre époque. En ceci, imitez les compagnies aériennes qui doivent s'en tenir à des emplois du temps précis afin de pouvoir bien planifier leurs nombreux horaires de vol, et aussi d'éviter tout risque d'accident.

Vous voulez vous prémunir contre toutes les tensions inutiles de la vie moderne? Vous voulez vous mettre à l'abri de tous les gaspilleurs de temps de notre époque? Vous voulez avoir suffisamment de temps pour pouvoir réaliser et vivre pleinement les quelques années qui vous sont allouées? Si oui, prenez alors la bonne habitude de faire des choix et d'établir des priorités dans votre horaire de vie de tous les jours. Ainsi, vous n'aurez pas besoin de devoir vivre constamment sous pression afin de rattraper un temps perdu que vous ne reverrez jamais plus.

14

Cultivez l'esprit de décision

Tous, qui que nous soyons, nous sommes sans cesse appelés à devoir prendre des décisions. Chaque jour de notre vie nous arrive avec son lot de décisions qui se posent. Dès le matin, au réveil, nous sommes confrontés avec certaines décisions qui doivent être prises. A quelle heure se lever? Quels vêtements choisir de porter durant la journée? Quoi manger pour le petit déjeuner? Ce ne sont là que des choix minimes, c'est vrai, mais ce sont quand même des choix qui exigent que des décisions soient prises.

Et c'est ainsi durant toute la journée, il faut sans cesse prendre des décisions. On peut facilement s'imaginer dans quel lamentable état de tension doit se soumettre une personne qui n'arrive pas à se décider lorsqu'un choix lui est proposé. Prenons par exemple le cas d'une personne qui perd plus d'une heure chaque matin à cause de son indécision sur le genre de vêtements à porter durant la journée. A cause de son indécision, cette même personne se verra obligée de courir toute la journée et ainsi, elle s'exposera à subir toutes sortes de tensions inutiles afin de rattraper le temps qu'elle aura perdu le matin dû à sa mauvaise habitude consistant à ne pas se décider rapidement.

Si vous consacrez trop de temps à vous demander quelle peut être la meilleure décision à prendre lorsqu'un choix quelconque vous est proposé, vous perdrez ainsi un temps précieux qui pourrait être consacré à d'autres tâches ou d'autres activités beaucoup plus importantes. Par contre, en cultivant la bonne habitude de vous décider rapidement, soit en développant l'esprit de décision, vous aurez ainsi l'esprit plus libre et de ce fait, vous pourrez vous concentrer à d'autres occupations qui nécessitent une attention plus importante de votre part.

Il est certain que si vous développez l'esprit de décision, vos décisions ne seront pas toujours les plus appropriées, ou les plus pratiques qui soient. D'ailleurs, si vous vous attendez à ce que vos décisions soient toujours justes et infaillibles, vous n'arriverez jamais à vous décider, étant donné qu'il est impossible de s'attendre que des décisions infaillibles soient prises de la part de créatures imparfaites, telles que nous sommes tous. Il importe donc, quel que soit le genre de décision que vous ayez à prendre, que vous teniez compte d'une certaine marge d'erreur toujours susceptible de se produire. C'est ainsi qu'agissent les grandes entreprises, même celles qui sont les plus prospères. Certaines sommes d'argent sont toujours mises en réserve chaque année afin de combler les erreurs d'opérations susceptibles de se produire à cause de certaines mauvaises décisions qui seraient prises durant une année d'opération. Il vaut beaucoup mieux courir le risque de vous tromper cinq fois sur dix que de ne jamais prendre de décision par crainte de vous tromper. Car à moins qu'il s'agisse de la vie qui soit en cause, soit un cas de vie ou de mort, il est presque toujours possible de faire demi-tour et de prendre une nouvelle décision, ou d'arranger les choses.

Si un joueur de hockey attendait d'être sûr de compter un but, il ne se déciderait jamais à lancer la rondelle. On dit que les meilleurs compteurs de points au hockey sont les joueurs qui ont raté le plus de lancers. Alors, comment se fait-il qu'ils soient les meilleurs? Tout simplement parce qu'ils ont appris à se décider rapidement dès qu'une possibilité de compter un but se présente à eux.

Afin de vous aider à cultiver l'esprit de décision, apprenez à classer les choix qui vous sont proposés en trois catégories: les choix de la vie courante, tel le fait de décider quelle nourriture choisir de manger ou quel vêtement choisir de porter; les choix semi-importants, soit le fait de décider de l'achat d'un nouveau costume, d'un meuble, de la couleur de peinture à choisir pour repeindre la maison; enfin, les choix importants, soit le choix de décider à quel endroit déménager, quel genre de maison acheter, de l'achat d'une voiture, effectuer un emprunt important à la banque, s'il convient de se marier ou pas, et avec qui, etc.

Il s'agit là de trois types de choix qui exigent que des décisions soient prises, mais il serait illogique de consacrer le même temps à la décision dans ces trois catégories de choix. Il est logique, et même raisonnable, de s'accorder plus de temps pour décider quel genre de conjoint convient le mieux pour être le père ou la mère de vos futurs enfants que de décider quelle couleur de costume s'adapte le mieux avec la couleur de votre teint.

Dès que vous êtes confronté avec un choix qui exige qu'une décision soit prise, commencez d'abord par discerner dans quelle catégorie de choix se situe la décision que vous devez prendre: décision de la vie courante, décision semi-importante, ou décision importante. Ensuite, dépendant de la catégorie dans laquelle se situe la décision à prendre, n'accordez qu'une période de temps raisonnable pour l'étude, ou l'analyse de la question. Par exemple, s'il convient de ne consacrer que quelques secondes pour décider quels vêtements porter durant la journée, il faudra peut-être allouer quelques jours à la décision de l'achat d'un meuble, et quelques mois d'étude et de réflexion avant d'acheter une maison, ce qui implique un important engagement financier.

Dépendant toujours de l'importance de la décision à prendre, réservez-vous une certaine période de temps à l'étude de la question, afin d'envisager les diverses éventualités susceptibles de se produire à la suite des diverses possibilités de choix qui s'offrent à vous. Le fait de vous acheter une maison vous obligera-t-il à devoir sacrifier vos bonnes relations familiales si vous devez cumuler deux emplois afin d'acquitter les versements mensuels? Quels avantages, et quels désavantages y a-t-il dans l'achat d'une marque de voiture quelconque? Ce sont là des éventualités qui doivent être envisagées si vous tenez à ce que vos décisions soient raisonnables et les plus justes possible; et surtout si vous tenez à votre tranquillité d'esprit, à préserver intactes vos bonnes relations conjugales et familiales, et ainsi, à vous prémunir contre un lot de tensions inutiles. Dans notre système, où la publicité commerciale s'efforce de penser à notre place, il importe de toujours se fier à sa raison pour tout ce qui concerne les affaires d'argent et à son coeur pour ce qui concerne les affaires humaines.

Finalement, à la lumière des faits que vous aurez rassemblés au sujet du choix que vous aurez à faire, et après avoir envisagé un certain nombre d'éventualités susceptibles de se produire dépendant de la décision que vous prendrez, PRENEZ UNE DECISION et... ne pensez plus à cette affaire. Une fois la décision prise, ne revenez pas constamment en arrière afin de vous demander si, oui ou non, votre décision était bien la plus appropriée. C'est là une perte de temps inutile et une source de tension à laquelle vous vous exposez tout aussi inutilement. Si vous vous êtes trompé dans votre choix, tant pis. Au moins, vous aurez pris une décision, au meilleur de vos connaissances. N'oubliez pas qu'il vaut mieux se tromper cinq fois sur dix que de s'exposer à un «blocage mental», ce qui empêche toute concentration de l'esprit sur une autre affaire qui est peut-être beaucoup plus importante.

Si vous vous êtes acheté un nouveau costume et que votre meilleure amie ne l'aime pas parce qu'il n'est pas de son goût à «elle», ceci ne signifie pas que votre choix soit nécessairement mauvais. Les goûts sont très différents d'un individu à l'autre et c'est pour cette raison d'ailleurs qu'il y a tant de couleurs différentes et tant d'aliments variés dans la création. Là où Dieu a prévu de la variété, pourquoi un être humain, quel qu'il soit, imposerait-il ses goûts personnels? Ce qui compte vraiment dans l'achat d'un costume, c'est que VOUS, vous le trouviez à votre goût.

La malsaine habitude de l'indécision, en plus de s'avérer une source de tensions inutiles, empêche de nombreuses personnes de profiter pleinement de leur vie, du repos dont elles auraient besoin, du calme intérieur et de la paix de l'esprit. Apprenez à vous décider rapidement pour ce qui est des choix de la vie courante, réservez-vous quelques jours de réflexion pour les choix semi-importants, et prenez le temps de rassembler le plus de données possible, et aussi d'envisager le plus d'éventualités possible concernant les choix importants avec lesquels vous êtes confrontés.

Etudier, Décider, Choisir, Agir, Oublier, (E.D.C. A.O.): voilà ce qu'est l'esprit de décision. Grâce à cet esprit, soit l'esprit de décision, vous vous sentirez plus maître et plus sûr de vous, vous aurez plus de temps pour vous occuper équitablement des nombreux autres choix que vous devez prendre, ce qui exige une totale liberté d'esprit, vous ne perdrez pas vos énergies et un temps précieux à vous torturer et vous lamenter en vous demandant constamment si, oui ou non, vous avez pris une bonne décision; vous serez moins tendu, vous aurez une plus grande tranquillité d'esprit, votre sommeil sera plus calme et plus doux, et votre bonheur et votre joie de vivre n'en seront que grandis. Donc, habituez-vous à cultiver l'esprit de décision, et ainsi, grâce à cette merveilleuse faculté dont chaque être humain est doté, s'il s'y exerce, soyez pleinement prémuni contre les nombreuses tensions inutiles et nuisibles de la vie moderne.

15

L'art précieux du contentement

Tous, nous connaissons bien ces personnes, sans cesse agitées et tendues, qui ne sont jamais satisfaites des choses qu'elles possèdent. Elles n'ont pas aussitôt réussi à se procurer un bien que déjà, elles éprouvent un nouveau désir pour une nouvelle acquisition. Après l'acquisition d'un appareil de télévision en noir et blanc, il leur faut la couleur maintenant, et dès qu'un appareil en couleur est installé dans leur salon, il faut maintenant un appareil dans chacune des chambres à coucher. Une première auto n'est même pas entièrement payée que des projets se font pour en acquérir une seconde. Ces personnes, sans cesse mécontentes de leur sort, ne sont jamais satisfaites de leurs meubles, de leurs vêtements, de leur conjoint, de leurs enfants, de l'endroit où elles travaillent, du logement qu'elles habitent, etc, etc. Elles n'ont jamais assez d'argent en banque, elles ne pensent qu'à dépasser les autres, ou à les épater, et quoi d'autre encore! Combien de tensions inutiles sont supportées par ce genre de personnes qui n'ont jamais appris à cultiver cet art précieux qu'est le contentement. Et combien de foyers désunis et brisés à cause de ce désir non contrôlé qui consiste à vouloir acquérir un nombre sans cesse croissant de nouveautés et de faire le plus grand nombre de nouvelles expériences possible.

Ce n'est pas sans raison que, parallèlement à ce manque de maîtrise dans l'art de savoir se contenter des choses nécessaires à la vie, on a pu voir, ces dernières années, le nombre des divorces en constante progression; ainsi que le nombre de faillites personnelles atteindre un échelon épidémique dans notre société.

Lisez bien attentivement les précieuses paroles que Paul jugea sage d'adresser à son compagnon Timothée: «Et, en effet, c'est un moyen de grand gain que (cette) piété avec la vertu qui consiste à se suffire à soi-même. Car nous n'avons rien apporté dans le monde, et nous n'en pouvons non plus rien emporter. Si donc nous avons nourriture et vêtement, nous nous contenterons de cela.» Aussi, voyez en quels termes le médecin Luc relata les paroles du plus grand enseignant qui soit passé sur la terre: «Ouvrez l'oeil et gardez-vous de toute espèce de convoitise, car même si quelqu'un est dans l'abondance, sa vie ne procède pas des choses qu'il possède.» Encore, ces paroles qui nous viennent du sage roi Salomon: «Mieux vaut un morceau de pain et la tranquillité avec, qu'une maison pleine de sacrifices de querelle.»

Avez-vous bien saisi le sens de ces trois citations? Si non, relisez-les car elles ne sont pas à sous-estimer; elles proviennent du Livre dont l'auteur est Celui qui connaît le mieux la nature humaine. Que ces trois citations, celle de Paul, de Jésus et de Salomon, soient bien comprises par tous les individus mécontents de leur sort, et d'un seul coup, on verrait la quasi totalité des problèmes de tension s'éliminer comme par enchantement.

Combien de personnes s'exposent à devoir vivre dans un état constant de tension à cause de leur désir immodéré de vouloir se procurer des choses superflues. De nombreux maris, et aussi de nombreuses épouses, n'hésiteront pas à sacrifier leur tranquillité d'esprit, leur unité familiale, et même leur bonheur conjugal, afin de mener de front les deux ou trois emplois qui leur permettront d'assouvir leur soif insatiable de possessions extravagantes.

Vous les maris, croyez-vous vraiment que votre épouse, vos enfants, vos petits-enfants, vos voisins et vos amis vous aimeront davantage et vous apprécieront plus si vous avez deux ou trois autos dans votre cour, une piscine de luxe, ainsi qu'une maison évaluée à une centaine de milliers de dollars? Non! Tous ces gens-là seront heureux de vous rendre visite, non pas à cause du fastueux étalage de toutes vos possessions matérielles, ni parce que votre compte en banque est imposant; mais ils seront heureux de vous fréquenter à cause des belles qualités que vous possédez: si vous êtes chaleureux, abordable, accueillant, aimable et compréhensif. Et le meilleur héritage que vous puissiez léguer à vos enfants, ce ne sont pas des biens matériels dont ils ne sauront même pas apprécier la valeur, étant donné qu'ils n'auront versé aucune sueur pour les gagner; mais le meilleur héritage consiste plutôt en une bonne éducation qui en fera des adultes respectueux des droits de leur prochain, des êtres pourvus de bons principes de fidélité conjugale et de loyauté envers la parole donnée, et aussi des individus qui attacheront plus d'importance à préserver une bonne réputation que le fait d'acquérir de nombreux biens. Ce ne sont là que quelques-unes des véritables valeurs qui font d'un être humain qu'il soit riche ou pauvre. L'argent a bien peu d'importance, étant donné que n'importe qui peut en gagner rapidement, et souvent sans le moindre effort, tels ceux qui gagnent à la loterie par exemple. Par contre, les principes de loyauté, d'honnêteté et de fidélité ne se distribuent pas gratuitement à la loterie, il faut une solide éducation à la base de ces qualités. Voilà le genre d'éducation qu'un père peut et doit léguer à ses enfants; voilà le meilleur héritage qui leur sera pratique pour toute leur vie.

Croyez-vous vraiment que votre veuve sera plus heureuse parce que vous vous serez épuisé, et même tué au travail pour acquérir plus de possessions matérielles? Non! Ce sera plutôt le contraire qui sera vrai. Votre veuve gardera un excellent souvenir de vous si vous lui avez témoigné des marques d'attention, de tendresse; en somme, si vous lui avez consacré du temps. Ce sont toutes sortes de petites attentions qui rendent une femme heureuse, et non pas le fait que votre photo soit publiée dans tous les journaux afin d'annoncer vos nouvelles nominations. Si vous ne le croyez pas, vous n'avez qu'à le demander à toutes ces veuves qui ont vécu seules pendant que leur égoïste de mari ne pensait qu'à acquérir plus d'argent ou plus de prestige. Toutes ces veuves délaissées, dont les maris ont souvent connu une mort prématurée à cause de leur ambition mal contrôlée, comprennent bien qu'au fond, leurs ex-maris n'étaient que des égoïstes qui ne pensaient qu'à l'assouvissement de leurs désirs personnels: argent, possessions, prestige et gloire.

Et si vous êtes une épouse, croyez-vous que votre mari vous aimera davantage si votre désir effréné de possessions matérielles vous incite à sacrifier la tranquillité et la paix de votre foyer pour les acquérir? Savez-vous ce qui peut le plus combler votre mari? C'est de rentrer chez lui, le soir après son travail, et de trouver une petite femme affectueuse et aimante qui lui tend les bras. C'est là un besoin essentiel chez tout homme, et l'épouse qui ne comprend pas l'importance de combler ce besoin, ou qui n'hésite pas à le délaisser et le sacrifier en échange de quelques possessions superflues, s'expose à devoir vivre de longues années de solitude durant la période de sa vie où elle aura le plus besoin d'attention, d'affection et de compréhension.

Vous voulez vous prémunir contre les tensions excessives et inutiles de la vie moderne, préserver intactes vos bonnes relations conjugales et familiales, et connaître un bonheur sans cesse grandissant dans votre vie de tous les jours? Si ce sont là les choses qui vous tiennent le plus à coeur, cultivez la bonne habitude d'apprendre à vous contenter des nécessités de la vie. «Si donc nous avons nourriture et vêtement, nous devons être satisfaits de ces choses», d'écrire l'apôtre Paul. C'est grâce à cet art précieux qu'est le contentement que vous serez à même de profiter plus pleinement des vraies valeurs que la vie a à vous offrir, soit la contemplation d'un beau coucher de soleil, une belle promenade en forêt, une bonne soirée de détente avec toute la famille réunie, des petits-enfants qui n'auront pas peur de vous tendre les bras, la tranquillité de l'esprit, et combien d'autres vraies joies du genre.

«Doux est le sommeil de celui qui sert, que ce soit peu ou beaucoup qu'il mange; mais l'abondance du riche ne le laisse pas dormir.» Comme elles sont vraies ces paroles de l'Ecclésiaste; et à celles-ci, on peut ajouter qu'une fois le nécessaire assuré, il n'y a pas plus de bonheur dans un palais que dans une masure.

16

Imitez l'ancien sablier: un seul grain de sable à la fois

Sans doute avez-vous déjà entendu parler de cette ancienne façon de mesurer le temps qui consistait à utiliser un sablier. Dans l'étroit passage reliant les deux parties principales du sablier, un seul grain de sable à la fois pouvait s'y engager; autrement, l'appareil risquait de se briser. Il en est de même dans la conduite de la vie: il ne faut vivre qu'un seul jour à la fois, soit ne faire qu'une chose à la fois; sans quoi, l'organisme risque de se détraquer sous l'effet des tensions qui peuvent devenir trop fortes.

Combien de chefs d'entreprises, de ménagères, et nombreuses autres personnes, gaspillent inutilement leurs énergies et vivent dans un état constant de tension parce que ces personnes s'occupent de trop de choses ou de projets à la fois. Finalement, ces personnes agitées se retrouvent, en fin de journée, tendues, épuisées, et souvent découragées du fait que leur travail devient de moins en moins efficace.

On dit, à juste titre d'ailleurs, que la dispersion mentale est l'indice de faiblesse mentale. Considérons l'exemple du rayon laser. Qu'est-ce qui fait la force du rayon laser? C'est son haut degré d'énergie concentrée sur un seul point. Il en est de même du soleil. Le soleil dispense beaucoup de chaleur et d'énergie, mais elle est tellement dispersée qu'elle ne fait que nous éclairer et nous réchauffer modérément. Mais si à l'aide d'une loupe vous concentrez sur un objet l'énergie fournie par le soleil, cet objet ne tarde pas à s'enflammer tellement le foyer de chaleur s'amplifie sous l'effet de la concentration.

«Je fais une chose...», d'écrire Paul dans l'une de ses lettres. Imitez donc ce sage conseil, c'est-à-dire d'imiter le rayon laser en concentrant vos énergies mentales et physiques sur une seule chose ou une seule activité à la fois. Ainsi, vous serez étonné de constater l'importance de la somme de travail que vous réussirez à accomplir durant une journée, une semaine, un mois, ou une année. De plus, vous ne manquerez pas de vous réjouir en constatant jusqu'à quel point chacune de vos tâches sera efficacement accomplie. Et ce n'est pas tout: le fait de vous concentrer sur une seule chose à la fois vous permettra de devenir plus méthodique dans toutes les diverses activités de votre vie, vous procurera une plus grande tranquillité d'esprit, et, ce qui est très important, cette façon de procéder vous épargnera de nombreuses tensions inutiles.

Par contre, si vous insistez pour vous occuper de trop de choses à la fois, ou si vous tenez à mener de front un trop grand nombre d'entreprises, vous ne ferez qu'éparpiller inutilement vos énergies, vous serez sans cesse tendu, et vous parviendrez rarement à mener à bon terme une seule de vos entreprises. Bien plus, vous serez sans cesse obligé de recommencer les mêmes choses plusieurs fois, ce qui contribuera à vous ajouter un surcroît de tensions inutiles. Donc, soyez un bon musicien, une bonne ménagère, un bon avocat, un bon cordonnier, et tout le monde dira du bien de vous. Par contre, essayez d'exceller dans toutes ces professions et le monde ne tardera pas à vous traiter d'incompétent.

Vous êtes certainement au courant de ce dicton qui dit que quiconque court deux lièvres à la fois risque, bien souvent, de les perdre tous les deux; ou encore, de cette pensée qui dit que lorsqu'un individu insiste pour être spécialiste en «tout», il devient très vite «bon à rien». Auriez-vous confiance à un médecin qui serait à la fois quincaillier, boulanger, homme d'affaires, vendeur d'assurances, et député? Non, et très rares sont les personnes qui se risqueraient à confier leur santé entre les mains d'un tel individu qui insiste pour être spécialiste en «tout».

«Pour tout il y a un temps fixé, oui, un temps pour toutes choses sous les cieux; un temps pour la naissance et un temps pour mourir; un temps pour planter et un temps pour déraciner ce qui a été planté; un temps pour tuer et un temps pour guérir; un temps pour démolir et un temps pour bâtir; un temps pour pleurer et un temps pour rire; un temps pour se lamenter et un temps pour gambader; un temps pour se débarrasser des pierres et un temps pour amasser des pierres; un temps pour éteindre et un temps pour s'abstenir d'éteindre; un temps pour chercher et un temps pour considérer comme perdu; un temps pour garder et un temps pour jeter; un temps pour déchirer et un temps pour coudre; un temps pour se taire et un temps pour parler; un temps pour aimer et un temps pour haïr; un temps pour la guerre et un temps pour la paix.» Qu'elles sont remplies de sagesse ces paroles du roi qui a compilé ce chef-d'oeuvre connu sous le nom de l'Ecclésiaste. Ces paroles ne manquent pas de nous faire comprendre clairement toute l'importance qu'il y a à ne s'occuper que d'une chose à la fois, soit de faire en sorte qu'un seul grain de sable à la fois puisse franchir l'étroit passage qui relie les capacités humaines de concentration et d'action.

«Et, d'ajouter encore l'Ecclésiaste, pour celui qui agit, quel avantage y a-t-il dans ce à quoi il travaille dur?» Oui, quel avantage y a-t-il à entreprendre trop de projets en même temps? Aucun, sinon de l'épuisement, de l'énervement, un gaspillage inutile d'énergie, et une accumulation excessive de tension.

Si vous tenez à vous prémunir contre les tensions inutiles et nuisibles de la vie moderne, cultivez donc la bonne habitude de ne faire, ou de ne vous occuper que d'une seule chose à la fois.

Apprenez à imiter l'ancien sablier: ne faites passer qu'un seul grain de sable à la fois dans le passage du sablier de votre existence; ceci, afin de ne pas détraquer toute votre vie à cause des trop fortes tensions qui ne manqueraient pas de vous envahir. Que ce soit au travail, au repos, à la distraction, au sommeil, au jeu, ou à toute autre activité essentielle de votre vie de tous les jours, ne faites qu'une seule chose à la fois et quelle que soit l'entreprise que vous entreprendrez, vous y excellerez. Quand vous vous couchez le soir pour dormir, concentrez-vous sur cette activité importante et essentielle qu'est le sommeil pour la restauration de vos forces nerveuses, et cessez d'agiter votre esprit en le concentrant sur les tâches du lendemain. N'oubliez jamais ceci: «Pour TOUT, il y a un temps fixé, oui, un temps pour toute chose sous les cieux.»

17

Développez la bonne habitude de prendre conseil

Un très vieux proverbe affirme que la sagesse réside dans le grand nombre de conseillers. Une autre pensée, plus récente celle-là, mentionne que l'homme sage, c'est celui qui sait s'entourer de gens plus intelligents que lui.

Dans la vie, lorsqu'une personne est active et productive, il est tout à fait normal que surgissent bon nombre de problèmes, lesquels sont souvent épineux et difficiles à résoudre. Combien de temps précieux est perdu, et combien de tensions inutiles sont supportées par des personnes qui se privent des nombreux conseils pratiques qu'elles pourraient recevoir d'autres personnes.

Lorsque survient une difficulté que vous n'êtes pas capable de résoudre à cause de votre inexpérience du sujet, pourquoi vous épuiser inutilement à force de vous énerver et tourner en rond à ne pas savoir quoi faire, alors qu'il est si facile de cultiver la bonne habitude de demander des suggestions ou des conseils auprès de personnes expérimentées en qui vous avez pleinement confiance? Vous ne devez jamais penser que parce qu'il s'agit de «vous» que votre problème est unique, et de ce fait, insoluble. Quel que soit votre problème ou la difficulté qui vous empêche d'agir, il y a certainement quelqu'un, quelque part, qui a déjà eu à affronter et à résoudre la même difficulté à laquelle vous faites présentement face. On dit que l'histoire de l'humanité ne comporte qu'un petit nombre d'expériences et que toutes ont déjà été vécues. Qu'il s'agisse d'un problème conjugal, d'un problème financier, ou de tout autre problème personnel qui vous obsède, soyez assuré qu'en cherchant bien, vous ne manquerez pas de trouver quelqu'un d'expérimenté qui pourra vous venir en aide par ses judicieux conseils. Voilà qui vous évitera de nombreux énervements inutiles.

Combien de personnes, durant une journée, vous abordent en vous demandant «Comment ça va?» Bien que, très souvent, il puisse s'agir là d'une question de salutation de routine, ou d'une certaine façon d'aborder poliment une personne pour «avoir l'air» de s'intéresser à elle, ou tout simplement pour avoir quelque chose à dire, la prochaine fois que quelqu'un vous abordera en vous demandant «Comment ça va?», si alors vous êtes vraiment embarrassé par un problème quelconque qui vous tourmente, profitez donc de l'occasion pour demander à cette personne de vous aider à trouver une solution au problème qui vous tourmente. En agissant ainsi, si la personne qui vous aborde par ce genre de salutation est vraiment sincère, vous aurez donc à portée de la main une source inespérée d'aide en temps vraiment opportun.

N'allez surtout pas penser que les gens vous éconduiront si vous sollicitez humblement quelques minutes de leur temps afin de leur demander des suggestions utiles qui vous permettront de voir plus clair dans une certaine affaire qui vous enlève toute votre tranquillité d'esprit. Prenez l'exemple sur vous-même. Quelle serait votre réaction si une personne de votre connaissance vous téléphonait tout d'un coup afin de vous demander des suggestions lui permettant de trouver une solution à un problème quelconque? Tous, qui que nous soyons, nous sommes toujours heureux et très fiers de constater que des individus nous font assez confiance, et nous jugent assez qualifiés pour devenir leur conseiller et leur confident. N'est-il pas vrai que nous nous sentons subitement devenir quelqu'un d'important dès l'instant où une personne nous demande une suggestion ou un conseil? Il n'en sera pas autrement de ceux à qui vous vous adressez pour solliciter des suggestions ou des conseils; ils seront heureux, empressés, disposés, et surtout, très flattés de vous accorder tout le temps nécessaire afin de vous donner le meilleur d'eux-mêmes.

Le fait de prendre conseil auprès de personnes sérieuses et sûres vous avantagera sous de nombreux aspects. D'abord, vous ressentirez le bienfait immédiat de vous être confié, ou d'avoir ouvert votre coeur à quelqu'un: ce qui vous soulagera instantanément de toutes les tensions inutiles que doivent supporter les personnes qui vivent constamment repliées sur elles-mêmes. Ensuite, vous serez réconforté et encouragé par la pensée qu'il existe des gens compréhensifs à votre égard. Voilà ce qui, désormais, vous procurera une profonde tranquillité d'esprit étant donné que vous réaliserez que vous n'êtes plus seul à vous occuper d'un problème qui vous tourmente, ou d'un fardeau qui vous écrase. Grâce à cette façon de procéder, vous aurez ainsi plus de temps et de liberté d'action pour vous occuper des autres tâches que vous devez accomplir, plus de temps pour vous reposer pleinement, car il n'est rien de plus nuisible au calme intérieur que le fait de se tourmenter continuellement l'esprit avec un problème quelconque, lequel devient très vite un souci de tous les instants s'il n'est pas résolu.

Alors que Moïse était en train de s'épuiser par les nombreux jugements qu'il rendait au sujet de toutes les affaires que les Israélites lui soumettaient, son beau-père Jéthro lui conseilla de procéder de façon plus pratique. Moïse, qui était avancé en âge, saisit tout de suite le bon sens du sage conseil de Jéthro et suivit à la lettre les suggestions qu'il lui avait données, soit d'établir des juges-adjoints qui seraient en mesure de s'occuper des affaires courantes, ce qui, en retour, assura à Moïse plus de temps disponible pour s'occuper pleinement des affaires difficiles à résoudre. Il est certain que le fait d'avoir suivi le conseil de son beau-père permit à Moïse de profiter de périodes de repos qui lui étaient nécessaires afin de restaurer ses facultés mentales, ce qui, sans doute, lui évita de nombreuses tensions inutiles.

Il est certain que la personne à qui vous demandez conseil ne s'occupera pas de régler un problème à votre place. Mais malgré ceci, vous serez étonné de réaliser jusqu'à quel point une difficulté, qui paraissait jusqu'alors insoluble, devient rapidement facile à résoudre lorsqu'elle est envisagée ou abordée sous un angle différent, lequel angle devient presque à tout coup évident par l'entremise d'un habile conseiller. Il ne faut pas oublier que lorsqu'on est personnellement impliqué dans une difficulté, on a tous cette tendance, bien humaine s'il en est une, de se concentrer uniquement sur la difficulté elle-même, ce qui empêche souvent un individu de voir vraiment toute la situation dans son ensemble. Etant donné qu'une personne qui n'est pas personnellement impliquée dans un problème ne se trouve pas mentalement tendue et de ce fait, mentalement handicapée, elle a donc l'esprit beaucoup plus détendu et lucide, ce qui lui permet d'user plus pleinement et aisément de sa faculté de raisonner, et ainsi d'être en mesure d'envisager le plus grand nombre de perspectives qui peuvent permettre de régler un problème. C'est un peu comme dans le cas d'un ordinateur. Une machine n'est soumise à aucune tension ou émotion quelconque lorsqu'un problème lui est posé, ce qui lui permet d'analyser froidement la situation en exploitant le plus de solutions éventuelles possibles, étant donné que l'ordinateur n'est pas, lui, embrouillé par le voile des tensions et des émotions humaines.

Vous avez une décision importante à prendre et vous êtes indécis et tendu à cause de votre impossibilité de vous décider, ce qui peut être produit par votre manque d'expérience? Vous êtes confronté avec un problème financier qui ne cesse d'accaparer tout votre esprit? Vous traversez présentement une situation familiale ou conjugale qui est tout à fait nouvelle pour vous? Votre carrière est à un tournant difficile et aucune décision pratique ne vous semble claire? Quel que soit le problème ou la difficulté qui se présente à vous, si vous n'êtes pas certain de la décision à prendre à cause de votre inexpérience du sujet, pourquoi alors vous exposer à devoir subir de nombreuses tensions inutiles, alors que le simple fait de prendre conseil auprès de personnes sûres, et en qui vous avez pleinement confiance, peut vous permettre de rassembler assez d'informations pour que, finalement, une solution logique vous apparaisse tout à coup évidente, tout comme par enchantement? Surtout, n'hésitez pas et n'ayez pas peur de demander des conseils. Sachez bien que vos amis fidèles, à qui vous vous adressez, vous accueilleront les bras grands ouverts. Finalement, vous réaliserez jusqu'à quel point cette façon de procéder vous permettra, en plus de vous éviter d'avoir à subir de nombreuses tensions inutiles, et aussi de faire de nombreux faux pas, de vous sentir moins seul. Ainsi, vous deviendrez plus sûr de vous; cela, en plus d'avoir l'esprit plus libre pour vous occuper des autres activités de votre vie quotidienne.

Soyez donc à l'abri des tensions excessives et inutiles de la vie moderne en réfléchissant à ce sage conseil, trois fois millénaire, qui nous a été légué par le sage roi Salomon: «La voie des sots est droite à leurs propres yeux, mais celui qui écoute (ou qui recherche) le conseil est sage.» Soyez sage! Développez la bonne habitude de prendre conseil!

18

Deux formes de critique: constructive et destructive

Une jeune fille décida un jour d'épouser le garçon qu'elle fréquentait depuis quelques semaines seulement. Les parents de cette jeune fille eurent beau lui conseiller de retarder sa décision de quelques mois, soit le temps nécessaire pour faire connaissance avec le garçon, ses antécédents, sa famille, son milieu, etc. Mais malgré tous les conseils empreints d'amour et de sagesse de ses parents, la jeune fille s'enfuit du foyer familial et alla se marier en secret avec son ami dans une ville éloignée de sa ville natale. Eh bien, on peut dire que l'obstination de la jeune orgueilleuse ne lui a pas porté bonheur, car après lui avoir fait six enfants et avoir privé sa famille des nécessités de l'existence, son ivrogne et paresseux de mari l'abandonna pour aller vivre avec une prostituée. Aujourd'hui, l'épouse abandonnée vit aux crochets du Bien-Etre social, éprouvant toutes sortes de difficultés. En plus de devoir s'occuper seule de ses six enfants, elle est aux prises avec divers troubles émotifs et mentaux. Toute une vie inutilement gâchée à la suite d'un simple coup de tête. C'est payer bien cher le refus d'accepter la critique qui, dans le cas de cette personne, s'avérait constructive. Que de tensions inutiles cette jeune femme doit maintenant supporter pour le reste de son existence, à moins que ne se produise un miracle qui lui permettrait de sortir de sa triste condition actuelle.

Il y a de cela quelques années, un jeune apprenti cuisinier alla travailler dans un grand restaurant. Au début, le jeune homme dut endurer de nombreuses critiques de la part de ses supérieurs, étant donné son manque d'expérience. Mais il ne se découragea pas pour autant, et il apprit à cultiver l'humilité, précieuse qualité à développer chez quiconque n'a pas d'expérience dans un domaine donné. Ce jeune apprenti savait qu'il deviendrait un jour un grand cuisinier, car il avait accepté, de bon gré, de se soumettre à deux règles fondamentales qui permettent au plus commun des mortels d'atteindre les sommets s'il s'y soumet: soit l'humilité, et l'acceptation sincère de la critique constructive. Durant les deux premières années où il oeuvra en tant qu'apprenti cuisinier, ce jeune homme travailla sous les ordres de certains chefs fort exigeants, mais il eut aussi l'occasion et le privilège d'être conseillé par des chefs cuisiniers de grande expérience, ce qui lui permit d'acquérir une solide formation dans l'art de préparer des mets succulents et exclusifs. Finalement, en moins de cinq années durant lesquelles l'humble apprenti cuisinier acquit une solide expérience, ce garçon est devenu premier cuisinier dans un grand hôtel de luxe. Ses honoraires se situent dans les cinq gros chiffres, sans compter tous les autres avantages qu'il reçoit. Ce n'est là qu'un exemple qui illustre bien toute l'importance qu'il y a à accepter la critique constructive.

Que serait-il arrivé au jeune homme en question si, à cause de son orgueil, il avait quitté son emploi à la suite de sa résistance à toute critique, si constructive fût-elle? Ce garçon n'aurait pas fait autrement que d'échouer lamentablement dans les rangs de ces jeunes chômeurs qui ne cessent de proclamer, à qui veut bien les entendre, que tout le système est contre eux et qu'ils sont des individus dépourvus de chance dans la vie. Que de tensions inutiles sont endurées par des personnes chez qui, à l'origine de leurs problèmes actuels, se trouve une personnalité se refusant à l'acceptation de la moindre critique.

Il ne faut jamais oublier que l'arrogance précède la ruine. Par leur refus obstiné d'accepter toute critique constructive, de nombreuses personnes se sont attiré bien des ennuis; ce qui, en retour, les oblige maintenant à devoir subir et endurer toutes sortes de tensions, dont certaines sont excessives, mais qui sont toutes inutiles. Il est vrai que la critique constructive n'est pas toujours dispensée avec des gants blancs, mais bienheureux celui qui développe et acquiert la sage habitude de TOUJOURS bien accueillir et accepter toute forme de critique constructive.

S'il est toujours avantageux de prêter une oreille attentive à la critique constructive, il faut cependant se méfier de l'autre forme de critique, c'est-à-dire celle qui est destructive. Il est certain que si vous êtes en train d'accomplir un travail de valeur, vous ne manquerez pas de susciter de la jalousie chez des personnes qui sont, bien souvent, trop paresseuses pour entreprendre quoi que ce soit d'édifiant. Si vous vous attardez à la critique destructive de ces personnes-là, soit le genre d'argument qu'elles ont pour camoufler leur paresse, vous ne manquerez pas de vous exposer à devoir subir de nombreuses tensions inutiles, ce qui, en retour, vous conduirait rapidement à l'échec et à la ruine, étant donné que votre esprit, au lieu d'être concentré sur votre travail, serait détourné par la critique. Envers cette forme de critique, celle qui est destructive, il importe d'agir comme le canard qui ne se laisse nullement embarrasser par les quelques gouttes d'eau qui lui coulent sur le dos, ou encore comme le promeneur qui ne se laisse pas impressionner outre mesure par les jappements du petit chien.

Vous voulez apprendre à discerner ou à identifier si une critique est constructive ou destructive? Eh bien, toute critique qui vous est faite par des personnes qui n'espèrent rien retirer en échange de leurs commentaires est, à coup sûr, une critique constructive. Par contre, lorsqu'une personne s'empresse de tenter de démolir tout ce que vous faites ou entreprenez, cela, sans même tenir compte de tout ce que vous accomplissez de bien, il faut toujours considérer comme destructives les critiques d'une telle personne. Ou encore, lorsqu'une personne ne vient pas vous voir personnellement pour vous transmettre une critique et qu'au lieu d'agir ainsi, elle se limite à commenter vos actes devant d'autres personnes, soyez persuadé que les critiques de ce genre de personnes ne sont pas ce qu'il y a de plus constructif.

Il faut beaucoup de discernement pour déterminer si une critique est constructive ou destructive, étant donné qu'un grand nombre de critiques destructives renferment souvent une parcelle de vérité qui ne doit pas être écartée de la part de celui qui fait l'objet d'une critique quelconque.

Si vous faites l'objet d'une certaine critique et que vous discerniez qu'elle est constructive, soit avantageuse pour votre amélioration, apprenez à l'accepter humblement; cela, même si votre «moi» se trouve blessé sur le coup. N'oubliez pas qu'une critique ressemble à un coup de poing que reçoit un boxeur qui s'entraîne. Sur le coup, il est certain qu'un coup de poing sur le nez ne fait pas de bien, mais c'est encore le seul moyen qu'ait trouvé un boxeur pour lui permettre d'acquérir une formation, et ainsi de remporter des victoires. Il en est de même des critiques, même si elles sont constructives. Il est certain qu'une critique est parfois difficile à accepter, surtout lorsqu'on est persuadé d'avoir fait «tout son possible»; mais la critique est la seule discipline qui puisse conduire l'individu vers la réussite, et en faire un vrai vainqueur. Toute personne sincère, qui «sait» ce qu'elle veut dans la vie et «où» elle veut aller, est toujours disposée à accueillir tout genre de critique, ou discipline, qui soit bonne pour son amélioration.

Et si vous vous rendez compte qu'une critique est franchement destructive, agissez ainsi: n'en tenez aucun compte et faites tout simplement comme si de rien n'était; ensuite, lorsque l'effet de la critique se sera quelque peu atténué, analysez soigneusement cette critique destructive afin d'y cueillir tout ce qu'elle peut contenir de vérité. Agissez ainsi, et de cette façon, vous ne gaspillerez pas inutilement vos énergies mentales et nerveuses à vous demander si ce que vous faites est bien ou mal, bon ou mauvais.

Donc, afin de vous éviter de nombreux tracas inutiles, lesquels sont générateurs de stress et de tensions, cultivez la bonne habitude de bien accueillir toute forme de critique qui vous est avantageuse et qui est bonne pour votre amélioration, soit celle qui est constructive. Quant à l'autre forme de critique, celle qui est destructive, analysez-la afin d'y cueillir tout ce qu'elle peut renfermer de constructif et n'y pensez plus. Aussi, gardez toujours bien présent dans votre esprit que nos ennemis, bien plus que nos amis, sont souvent précis dans les jugements et les opinions qu'ils se font de nous. Nos amis évitent de nous communiquer une critique constructive parce qu'ils ne veulent pas nous «faire de la peine», et aussi parce qu'ils craignent nos réactions; tandis que nos ennemis, eux, n'hésitent pas à nous critiquer devant des personnes qui ne sont en rien concernées, et ainsi, leur mauvaise façon d'agir peut souvent s'avérer être la seule forme de critique constructive que nous puissions recevoir.

19

Méfiez-vous des petits ennuis!

Gare aux petits ennuis: ce sont les plus corrosifs! Un lion se voit, mais pas un virus; et pourtant, le virus est bien plus dangereux que le lion, tel le virus de la grippe espagnole qui fut la cause de millions de pertes de vie durant la seconde décennie de notre siècle.

Les petits ennuis ressemblent un peu à de la rouille qui s'accroche à une pièce métallique. Si le problème de la rouille n'est pas réglé à ses débuts, c'est toute la pièce de métal qui sera finalement ruinée. Combien de personnes se rendent malheureuses et vivent constamment dans un état de tension excessive à force de s'empoisonner l'existence avec leur malsaine habitude qui consiste à amplifier le moindre ennui qu'elles doivent affronter. Sans trop en être conscientes, ces personnes perdent un temps précieux en s'attardant ainsi à toutes les gifles qu'elles reçoivent de la vie.

Dans nos grandes villes modernes, où nous vivons empilés les uns sur les autres et roulons pare-chocs à pare-chocs, s'attarder au moindre petit ennui ne peut pas faire autrement qu'engendrer de nombreuses tensions à quiconque s'irrite à propos de tout et de rien.

Combien de conjoints s'irritent au sujet des nombreux points sur lesquels ils ne sont pas d'accord! Aussi, combien d'automobilistes s'irritent contre les mauvais conducteurs qui ne respectent pas toujours les lois de la circulation! Combien de voisins s'irritent à propos de petites difficultés qui seraient vite résolues avec un peu de bonne volonté de part et d'autre! Combien de patrons s'irritent contre des employés qui font des erreurs ou qui ne s'appliquent pas à leur travail! Combien d'employés s'irritent contre des patrons trop exigeants! Combien d'enfants s'irritent contre des parents qu'ils considèrent un peu comme vieux jeu! Et combien d'autres individus s'irritent à cause du manque de reconnaissance de la part de personnes à qui ils ont rendu certains services! Oui, que d'irritations sont subies et inutilement endurées dans notre monde où, pour le moment, l'imperfection domine en maîtresse sur notre globe.

Etant donné les nombreuses sources d'irritations qui jaillissent de partout, il est bien certain que quiconque n'apprend pas à ignorer tout simplement les petits ennuis ne manque pas de s'exposer à devoir endurer de nombreuses tensions inutiles.

Au lieu de vous agiter, ou de vous mettre dans tous vos états, parce que votre conjoint n'est pas parfait, que vos enfants ne font que des erreurs, que votre voisin est ingrat, ou de vous irriter contre qui ou quoi que ce soit, pourquoi ne pas plutôt agir comme ceci: a) apprenez à classer les ennuis de la vie en deux catégories; b) cultivez la bonne habitude d'ignorer complètement les petits ennuis, soit ceux qui sont insignifiants, lesquels ne sont, bien souvent, que le fruit de la mésentente ou de l'imperfection humaine; c) et finalement, ne vous occupez que des ennuis importants, tels ceux dont vous êtes entièrement responsable et qui peuvent vous causer, à vous et à d'autres personnes, de graves préjudices. En agissant ainsi, vous ne tarderez pas à vous prémunir solidement contre les nombreuses tensions inutiles qui ne font que ruiner votre bonheur et votre énergie vitale. De plus, le fait d'agir ainsi vous assurera une plus grande tranquillité d'esprit, et vous permettra d'avoir l'esprit beaucoup plus lucide afin d'être en mesure de vous occuper des ennuis plus sérieux qui méritent une plus grande attention de votre part.

Quelle serait votre attitude si, un jour, quelqu'un vous guérissait instantanément d'une grave maladie qui vous opprime depuis de longues années, telle la lèpre par exemple? Sans doute seriez-vous à jamais reconnaissant et rempli de gratitude envers ce bienfaiteur qui vous aurait libéré de votre lourd fardeau! Pourtant, un jour, Jésus guérit miraculeusement dix lépreux; et sur les dix qui furent libérés du terrible fardeau qui les opprimait, combien, d'après vous, ont démontré de la reconnaissance envers leur bienfaiteur, soit en allant au moins lui dire merci? Pas dix, ni cinq, ni trois, ni deux, mais UN SEUL s'est vraiment montré reconnaissant en retournant remercier le Maître. Jésus s'est-il mis en colère à la suite de cet ennui, ou cette ingratitude qui lui fut causée, soit ce manque flagrant de reconnaissance? Et a-t-il songé à discontinuer son ministère, tout en maudissant ce monde égoïste qui n'était pas digne de lui? Non! Jésus a tout simplement classé l'affaire dans la catégorie des «petits ennuis». La preuve en est qu'il a continué par la suite à avoir des paroles consolantes pour les déprimés et à faire du bien aux affligés de maladies. Par contre, si Jésus n'avait songé égoïstement qu'à lui-même, soit en insistant pour recevoir à tout prix les marques de reconnaissance auxquelles il était en droit de s'attendre, d'innombrables personnes auraient ainsi été privées de son passage sur la terre. Et aujourd'hui, plus de dix-neuf siècles plus tard, nous nous réjouissons de lire le merveilleux récit des nombreuses actions de cet homme qui a agi sagement en ne s'arrêtant pas inutilement sur tous les petits ennuis de la vie.

Pourquoi s'arrêter sur les «bagatelles» de l'existence, alors qu'il y a tant de choses importantes qui exigent que des êtres intelligents les règlent? En général, ce sont les gens plutôt égoïstes qui s'attardent à chaque petit ennui. En cultivant la bonne habitude de se montrer plus généreux et plus compatissant envers les autres, en mettant l'accent sur les vraies valeurs de l'existence et en apprenant à se contenter des nécessités de la vie, oui, en faisant toutes ces choses, on ne manque pas de constater jusqu'à quel point le monde des petits ennuis se trouve réduit. En effet, il est très rare de voir les gens généreux se plaindre sans cesse de tous les petits ennuis de l'existence.

Vous pouvez facilement vous prémunir contre les nombreuses tensions de la vie moderne en vous efforçant de cultiver la bonne habitude de classer les divers ennuis que vous subissez par ordre d'importance, et en ne vous attardant qu'à ceux dont la solution fera en sorte que votre existence, et celle des gens qui vous entourent, soit plus agréable à vivre. Donc, méfiez-vous toujours des petits ennuis, car ce sont les plus corrosifs. Et n'oubliez pas que, d'un grain de sable ou une montagne, c'est le tout petit grain de sable qui est le plus agaçant lorsqu'il pénètre dans un oeil.

20

Pardonnez-vous vos erreurs

On dit qu'il n'y a que deux catégories d'individus qui ne commettent jamais d'erreurs: ceux qui ne font jamais rien, et les autres... les idiots. Si vous n'êtes ni dans l'une ou l'autre de ces deux catégories, vous devez donc accepter le fait que vous aussi, êtes soumis à la loi de l'«erreur».

Oui, qui que nous soyons, sans égard au degré d'éducation reçue, au statut social, au sexe, à la race, ou à la religion, nous devons tous admettre l'évidence que depuis notre plus tendre enfance, les erreurs nous sont bien familières et sont notre lot quotidien à tous. Tout d'abord, il importe de noter qu'il y a toute une différence entre le fait de commettre des erreurs, lesquelles sont simplement dues à l'imperfection humaine, ou encore qui ne sont que le simple fait du hasard; et le fait d'entraver volontairement le rôle de la conscience en se complaisant méchamment ou égoïstement dans un mode de vie désordonné, ce dont nous parlerons au chapitre 27.

Le refus, ou l'impossibilité de se pardonner leurs erreurs, et aussi celles des autres, obligent beaucoup d'individus à devoir supporter de nombreuses tensions inutiles, lesquelles tensions deviennent vite insupportables. Combien de personnes sont allées jusqu'au suicide à cause de leur refus obstiné, ou inconscient, de se pardonner certaines erreurs. Des conjoints se sont même séparés à la suite de leur refus insensé de se pardonner mutuellement leurs erreurs. Des chefs d'entreprises ont passé de nombreuses nuits sans pouvoir trouver le sommeil à cause de leur refus de se pardonner, ou d'oublier certaines erreurs de jugement qui leur ont occasionné des pertes ou des ennuis financiers. D'autres individus se sont «bloqués» psychologiquement à cause de leur refus de se pardonner leurs erreurs, ce qui les a conduits, soit à la dépression nerveuse, soit à vivre constamment dans le passé et ainsi, à devoir finalement se résigner à une vie inactive et improductive. Il en est d'autres encore qui ont même rompu à jamais des relations amicales, sociales, et même fraternelles, à cause de leur refus obstiné de pardonner aux autres certaines erreurs.

Dans tous ces cas, et dans de nombreux autres, ce refus, conscient ou inconscient, de se pardonner leurs propres erreurs, ou celles des autres, a obligé de nombreuses personnes à devoir supporter inutilement de nombreuses tensions.

Une erreur, c'est le fruit de l'imperfection, de l'inexpérience, ou encore de la distraction; et quiconque n'apprend pas à les pardonner et à les oublier tout simplement ne peut pas faire autrement que s'exposer à devoir subir une vie remplie de nombreuses difficultés.

Il est certain qu'il y a des erreurs graves qui marquent à jamais une personne, telles les erreurs ou les distractions qui sont causées par des contrôleurs aériens et qui sont souvent fatales pour des dizaines, voire des centaines de victimes. Il y a aussi les erreurs de jugement qui sont la cause de nombreuses hécatombes qui se produisent sur nos autoroutes. Que dire aussi de l'erreur de jugement d'une jeune fille qui n'a pas choisi avec assez de soin un conjoint qui soit plus acceptable et avec qui elle doit maintenant subir de nombreuses souffrances pour le reste de son existence. Bien que dans de tels cas, il soit bien difficile d'empêcher que ce genre d'erreurs ne laisse des traces qui marqueront à jamais un être humain, il faut cependant admettre que dans la majorité des cas, les diverses erreurs de la vie quotidienne sont plutôt minimes. Oublier de respecter certaines lois de la circulation dans une ville étrangère, oublier d'être à l'heure à un rendez-vous, oublier de saluer un ami dans une foule, oublier de dire merci à quelqu'un qui a rendu un service, oublier d'acquitter une facture à la date de son échéance, faire une erreur de jugement en achetant un vêtement, ou toute autre erreur du genre: ce sont là des erreurs, bien qu'étant souvent fort désagréables, qui sont à classer dans la catégorie des erreurs minimes.

Si, en plus de l'imperfection humaine qui est notre lot à tous, on doit ajouter le fait que nous vivons une époque de vitesse inouïe où l'on exige que des créatures imparfaites se laissent diriger par leurs émotions à certains moments, soit pour satisfaire l'appétit insatiable de la publicité de notre siècle de surconsommation; et à d'autres moments, par contre, il est exigé, toujours des mêmes créatures imparfaites, qu'elles aient un jugement d'ordinateur, soit au travail ou pour respecter la date d'échéance de l'acquittement d'un compte; pour ces raisons, on doit s'attendre, de notre part et aussi de la part de ceux que nous côtoyons chaque jour, que de nombreuses erreurs soient commises.

S'il convient de réfléchir sur ses erreurs du passé, et aussi sur celles des autres, ce ne doit être que pour les analyser afin d'en retirer des leçons pratiques pour l'avenir. Toute autre concentration de l'esprit sur les erreurs du passé n'est pas autre chose qu'une perte de temps pure et simple; ceci, en plus de causer un sérieux «blocage» de l'esprit, lequel n'est plus en mesure de se concentrer sur le présent. Et finalement, cette malsaine habitude ne fait qu'engendrer de nombreuses tensions qui sont bien inutiles. A ce sujet, il est intéressant de réfléchir sur le commentaire que le Dr Wayne W. Dyers fait dans son livre «Vos Zones erronées». A la page 111 de son ouvrage, le Dr Dyers explique que «se sentir coupable, ce n'est pas seulement se soucier du passé, c'est se bloquer dans le présent en raison d'un événement antérieur. Et ce blocage peut aller d'un léger désagrément à la dépression. Si vous tirez simplement des leçons du passé dans le but de ne pas retomber dans tel ou tel comportement déterminé, il n'y a pas culpabilisation. La culpabilisation n'existe que lorsque l'on évite de prendre une initiative aujourd'hui parce que l'on a eu tel ou tel comportement auparavant. Tirer la leçon des erreurs que l'on a commises est sain, c'est une indispensable condition de notre épanouissement. Le sentiment de culpabilité, en revanche, est malsain parce que l'on gaspille son énergie dans le moment présent à cause d'un événement passé qui vous ronge et vous démoralise. Et ce n'est pas seulement malsain, d'ajouter l'auteur, c'est INUTILE. Se sentir peu (ou beaucoup) coupable ne défera jamais ce qui a été fait.» Il convient donc, comme l'explique si bien le Dr Dyers de ne pas s'arrêter inutilement sur ses nombreuses erreurs, ce qui inclut aussi celles des autres. On ne doit s'y arrêter que pour en tirer une leçon réfléchie afin de mieux vivre son présent et mieux planifier son avenir.

«Le bien que je désire, je ne le fais pas», de déclarer honnêtement l'un des plus grands missionnaires de l'ère chrétienne. Mais malgré le fait qu'il était pleinement conscient de son imperfection héréditaire, ce grand apôtre s'est-il mentalement «bloqué» sur ses erreurs ou imperfections, lesquelles n'étaient autres que des «choses du passé»? Non, et voici la recette que l'apôtre Paul, puisqu'il s'agit de lui, a pris soin de consigner par écrit dans l'une de ses lettres inspirées: «OUBLIANT les choses qui sont derrière et tendu vers celles qui sont devant, je poursuis ma course vers LE BUT...» Afin de se prémunir contre les nombreuses tensions inutiles de la vie moderne, il convient donc d'agir aussi sagement que l'apôtre Paul, soit de TOUT OUBLIER, et se concentrer sur les bonnes choses que la vie tient en réserve pour tous ceux qui tendent leur esprit «vers l'avant», vers l'avenir.

La vie est comme un livre. On ne peut la vivre et la trouver captivante qu'en tournant les pages de droite à gauche, soit en allant vers le futur. Si une page du livre de votre vie est remplie d'erreurs, il ne sert à rien de vous bloquer sur cette page en insistant pour que le tout soit effacé et écrit de nouveau. C'est peut-être possible de procéder ainsi avec une feuille de papier, mais c'est impossible de le faire avec le livre de votre vie. Et si vous tenez obstinément à le faire, vous ne ferez que perdre un temps précieux. Car on vit avec les morts lorsqu'on insiste pour vivre avec les choses et événements du passé; et quiconque vit avec les morts n'a pas sa place parmi le monde des vivants.

«S'affliger d'une erreur passée, qu'elle soit vieille d'une heure ou d'une année, n'a pas plus de sens que se lamenter sur les rigueurs de l'hiver qui est passé», de commenter un auteur connu de notre époque. Il ne faut jamais oublier que tous, nous commettons bien des erreurs, et la seule chose qui nous différencie, nous les humains, c'est que nos erreurs sont différentes, c'est tout. Donc, tout ce qui reste à faire avec les erreurs, à part le fait d'en tirer des leçons pratiques et constructives pour l'avenir, c'est de ne pas en faire le point de départ de nouvelles erreurs plus importantes; ce qui ne manque pas de se produire quand l'esprit est lamentablement accroché sur les choses du passé et qu'il n'évolue pas au rythme de la vie présente, laquelle vie tourne une nouvelle page chaque jour.

Si vous tenez à vous prémunir contre le fléau des tensions de la vie moderne, apprenez donc à vous pardonner vos erreurs, sans non plus oublier de passer aussi l'éponge sur celles des autres. Faites-le en gardant bien clair dans votre esprit que pour le sage, chaque jour est nouvelle vie, et aussi, le jour du point de départ pour quelque chose de meilleur; et, comme l'a écrit Robert Burdette dans «Golden Day»: «Ce n'est pas l'expérience du passé qui rend les hommes fous mais le remord lié à quelque chose qui appartient à la veille et la crainte de ce qui risque de se révéler demain.»

21

Que de soucis inutiles!

De toutes les causes de tensions que doivent supporter les humains de notre époque moderne, il n'est certainement pas exagéré d'affirmer que le fait de se faire constamment du souci est celle qui occupe l'une des premières places du palmarès. En effet, on peut dire que presque tout le monde se fait du souci à propos de quelque chose. Oui, combien de gens s'épuisent à force de se faire du souci à cause de leur constante appréhension du lendemain! Des hommes d'affaires s'inquiètent à propos du chiffre d'affaires de leurs entreprises. Des femmes se font du souci à propos de leur beauté, de leur apparence, sans oublier ce souci constant à propos du poids. Des jeunes filles se demandent si, elles aussi, pourront trouver le conjoint de leurs rêves. Des étudiants s'inquiètent de leur avenir. Des milliers d'ouvriers se font du souci à propos de la stabilité de leur emploi, de l'augmentation de leur salaire, de leurs relations avec leurs patrons. Ceci, sans compter tous les autres individus qui ne cessent de se faire du souci au sujet de leur santé, de leur taille, de leur poids, de l'acquittement de leurs factures mensuelles, de la vie, de la vieillesse, de la mort, de l'augmentation constante du coût de la vie, etc, etc.

Oui! que de soucis, que de soucis sont inutilement subis et endurés par tous les gens soucieux de notre planète. Pourtant, malgré tous les soucis que se font les gens soucieux, des statistiques sérieuses ont démontré que dans quatre-vingt-dix pour cent des cas, les soucis ne sont que des fantômes qui hantent l'imagination de tous les êtres soucieux de notre époque. Combien d'êtres humains peuvent affirmer, avec preuves irréfutables à l'appui, avoir déjà rencontré un seul fantôme? Les soucis sont ainsi: des fantômes qui hantent l'imagination des êtres sans foi, qui empêchent ceux qui en sont les victimes imaginaires de vivre pleinement le jour présent qui leur est alloué; et, on doit bien l'admettre, les soucis ne peuvent faire autrement qu'engendrer un flot de tensions inutiles, étant donné qu'ils enlèvent toute tranquillité d'esprit.

Les soucis ne sont pas autre chose que de puissants agents destructeurs du bonheur, de vie paisible et d'action. En effet, on ne compte plus le nombre d'individus qui ont ainsi détruit littéralement leur vie à cause de cette malsaine habitude que celle consistant à se soucier et à se lamenter sans cesse à propos de tout et de rien. Mais le pire problème avec les soucis, c'est qu'ils sont très étroitement liés à l'imagination; et l'imagination, elle, étant la source de toute pensée, il est donc certain que tout individu, quel qu'il soit, qui se laisse dominer par ses pensées imaginaires ne manque pas de s'attirer de nombreuses difficultés, étant donné que tôt ou tard, toute pensée finit par attirer tout ce qui lui correspond. Et dans ce domaine comme dans tous les autres, la loi qui atteste que «qui se ressemble s'assemble» ne peut pas faire autrement que de s'appliquer.

Considérons par exemple le cas d'une femme qui ne cesse de se faire du souci parce qu'elle s'imagine que son mari ne l'aime plus; et ceci, tout simplement parce qu'elle est pourvue de quelques kilos superflus. A force de se l'imaginer, soit de penser que sa prétendue grosseur la rend de plus en plus laide, cette femme soucieuse en arrivera finalement à PENSER et à CROIRE vraiment que son mari ne l'aime plus. Et à partir de cette pensée négative qui ne cesse de prendre fermement racine dans le domaine de son esprit «imaginaire», cette femme va tout simplement se comporter en accord avec ses pensées qui ne sont pas autre chose que le fruit de son imagination, soit qu'elle est une «grosse» personne, une femme «laide» que son mari n'aime «plus». Cette pauvre femme, au comportement erroné, guidée par un esprit faussé, ne tardera pas à développer une attitude négative qui ne manquera pas de créer un fossé de plus en plus large entre elle et son mari; fossé qui prendra des dimensions alarmantes au point que finalement, son mari commencera à son tour à penser, sur la base du comportement de sa femme qui vient confirmer son opinion, que celle-ci ne l'aime plus. Combien de couples, à partir du fruit de l'imagination de l'un des conjoints, ont ainsi ruiné à jamais une union qui semblait des plus prometteuses.

Considérons un autre exemple tiré de la vie courante, soit celui d'une jeune fille qui se fait du souci parce qu'elle s'imagine être laide, et qu'ainsi, il ne lui sera pas possible de trouver à se marier. A force de s'imaginer qu'elle est laide, cette jeune fille en arrivera à PENSER qu'effectivement, elle est laide. Et finalement, toujours guidée par sa pensée erronée, cette jeune fille va tout simplement se comporter ou agir comme une personne laide. Elle commencera par négliger son apparence extérieure, elle se tiendra de plus en plus à l'écart de toute activité et finalement, elle trouvera refuge dans un vice solitaire, soit la masturbation ou le grignotage alimentaire. En retour, son vice solitaire lui procurera une mauvaise conscience, ce qui ne fera qu'enfoncer de plus en plus profondément dans son esprit qu'elle est une personne indigne. Et en fin de compte, ce qui devait arriver arrivera: cette jeune fille sera de plus en plus troublée émotivement, et n'étant plus capable de contrôler ses émotions, elle mangera davantage «pour se calmer», elle engraissera, et... deviendra effectivement laide. Et l'histoire finale de cette jeune fille se terminera comme toutes celles de ces vieilles filles qui, atteintes du mal «imaginaire» depuis leur plus tendre adolescene, déclarent, à qui veut bien les entendre, que tout le monde, le sort et la vie, ont toujours été contre elles. C'est bien triste à observer, mais c'est là la seule explication logique qui peut expliquer la raison pour laquelle tant de personnes supposément mûres s'imaginent être délaissées et non appréciées par tous ceux et celles qui les entourent.

Illustrons le souci imaginaire par un autre exemple, soit l'exemple de l'étudiant qui se fait du souci parce qu'il s'«imagine» qu'il va rater son examen de fin d'année. A force de s'imaginer un échec, cet étudiant en viendra à PENSER à la possibilité d'un échec. Et étant donné que l'esprit ne peut être occupé que par une seule pensée à la fois, soit une négative ou une positive, et vu le fait qu'on en vient toujours à agir selon les penchants que prennent les pensées, cet étudiant va finalement se comporter tout comme s'il avait réellement déjà raté ses examens de fin d'année. Il étudiera donc de moins en moins puisqu'il «sait» qu'il va échouer de toute façon. Et finalement, une fois la période des examens arrivée, cet étudiant sera tellement tendu, et il aura perdu tellement de temps à force de se comporter comme un «raté» qu'il ne pourra faire autrement que d'échouer. Et l'année suivante, on retrouvera ce jeune homme parmi les rangs de tous ces chômeurs et assistés sociaux qui ne cessent de maudire cette société qui est «contre eux.»

Qu'on le veuille ou non, on finit toujours par s'attirer, tôt ou tard, l'objet de ses soucis. Si le hasard ne contribue que dans une proportion de dix pour cent à nous réserver des mauvais jours, la personne soucieuse contribue par elle-même, par l'entremise de son imagination et sa pensée négative, à créer les circonstances favorables permettant ainsi à tout ce qui fait l'objet de ses soucis de lui arriver immanquablement. C'est comme ce conducteur de voiture qui avait une peur terrible de conduire sur les autoroutes. Le jour où il fut obligé de conduire sur une route très achalandée, il se faisait tellement de souci parce qu'il s'«imaginait» qu'il aurait un accident, qu'effectivement, il eut cet accident qu'il appréhendait tant. Et ce fut un accident terrible car deux membres de sa famille y perdirent la vie. Quelques jours plus tard, ce conducteur soucieux affirmait, à qui voulait l'entendre, qu'il fallait toujours prêter une oreille attentive au «pressentiment». Cependant, dans le cas de ce conducteur, aucun esprit malfaisant n'avait agi contre lui; c'est plutôt son imagination, laquelle l'avait incité à agir maladroitement, qui était la cause de cet accident qui le marqua profondément. Ce n'est pas le «sort» qui avait été contre cet homme; ce fut plutôt sa détestable habitude de se faire du souci qui était uniquement en cause.

Comment est-ce possible de se prémunir contre cette malsaine habitude qui consiste à se faire constamment du souci? Il faut apprendre à se comporter comme un tout petit enfant. Avez-vous déjà vu un petit enfant se faire du souci le soir en se mettant au lit, que ce soit à cause de la crainte de ne pas pouvoir s'endormir, au sujet de son coeur s'il va continuer à battre ou non durant son sommeil, s'il aura de la nourriture pour le lendemain, s'il sera en mesure d'acquitter les factures du mois, s'il réussira plus tard dans sa carrière, s'il pourra trouver un emploi convenable, s'il pourra vivre jusqu'à un âge avancé et en bonne santé, si ses futurs enfants deviendront des citoyens honnêtes et respectueux des lois, etc. etc...? Non! On ne rencontre jamais un jeune enfant qui se tourmente jusqu'à ce point. Et pourquoi le jeune enfant refuse-t-il de se faire du souci? Tout simplement parce que le jeune enfant est, inconsciemment peut-être, mais fermement convaincu qu'il ne manquera de rien; que quelqu'un veille sur lui et sur ses besoins de chaque jour; que pour lui, «à chaque jour suffit sa peine», et qu'ainsi, il peut donc dormir tranquille.

Avez-vous déjà vu un chat se faire du souci à propos de tout et de rien? Si vous avez un chat chez vous, observez-le durant le temps qu'il mange, qu'il se repose ou qu'il dort. Dans chacune de ces activités, vous remarquerez que le chat est détendu et qu'il «sait» profiter pleinement de la nourriture qu'il mange (dans l'instant présent), du repos ou du sommeil dont il profite (dans l'instant présent). Tout comme le petit enfant, le chat est, lui aussi, «convaincu» qu'il peut dormir tranquille sans se faire aucun souci pour le lendemain, et aussi pour les autres jours à venir. Bien que ce puisse être inconsciemment, le chat «sait» et «sent» que quelqu'un pourvoit à ses besoins quotidiens et qu'il ne manquera pas des nécessités de la vie. Le chat et le petit enfant «savent» et «sentent» que c'est AUJOURD'HUI, c'est-à-dire dans «l'instant présent» qu'ils doivent profiter pleinement du moment qui passe et que «Demain» n'est qu'un autre mot pour désigner le jour d'aujourd'hui. Et si tout a bien marché aujourd'hui, tout ira bien demain. Et si le lendemain s'annonce sombre, on verra alors, en temps et lieu, ce qu'il conviendra de faire à mesure que les événements se présenteront. Oui, «à chaque jour suffit sa peine». Pourquoi se tourmenter et refuser obstinément de profiter pleinement du moment qui passe à cause de cette détestable attitude mentale désignée par l'expression «se faire du souci»? Comme il en est du petit enfant et du chat, qui ont une confiance totale en ceux qui s'occupent d'eux, il convient que chacun de nous développions cette attitude mentale, soit d'avoir une totale confiance en Celui qui s'occupe de nous.

Prenez le temps de bien examiner la création qui vous entoure. Quand avez-vous vu la lune se faire du souci et ainsi refuser d'accomplir sa tâche parce qu'elle s'imaginait qu'il y avait peut-être un risque de collision entre elle et le soleil, la terre, ou toute autre planète de notre système solaire? Pourtant, si l'on considère la vitesse de déplacement de ces planètes qui nous entourent, ainsi que les dimensions énormes de celles-ci, ce ne sont pas les risques de collision qui manquent. Encore, quand avez-vous vu une vache se faire du souci à cause de son inquiétude de ne pas pouvoir trouver l'alimentation nécessaire qui lui permettra de produire du lait? Oui! Observez attentivement la création qui vous entoure et REFLECHISSEZ. La création, soit les espèces du règne animal, du règne végétal et du règne minéral, ne se fait aucun souci et tout continue de bien fonctionner. L'être humain, étant ce qu'il est par rapport à la création inanimée et celle qui est dépourvue de la faculté de raisonner, soit une créature intelligente et raisonnable, a beaucoup plus de raisons valables de ne pas se soucier outre mesure du lendemain. L'ordre et la stabilité de toute la création qui nous entoure ne cessent de nous supplier de cesser de nous faire du souci et de devenir enfin des êtres raisonnables, conformément à notre faculté de raisonner. Celui qui s'occupe de bien gouverner l'armée des cieux ne pourvoira-t-il pas à nos minimes besoins? Car, que sommes-nous comparés aux milliards d'étoiles qui nous entourent?

On ne doit pas se soucier de l'avenir tout comme s'il était une bête dangereuse, on doit plutôt le préparer. Mais quand une personne se fait constamment du souci pour le lendemain, son esprit est à ce point accaparé par l'objet de son souci imaginaire que cette même personne devient finalement mentalement bloquée devant toute action qui requiert une certaine souplesse et détente de la part de l'esprit afin qu'il soit en mesure de pouvoir réaliser pleinement le présent tout en s'occupant de planifier raisonnablement le futur.

Vous voulez perdre cette détestable habitude qui consiste à vous soucier de tout et de rien? Vous désirez perdre à jamais cette malsaine attitude mentale qui vous oblige à subir de nombreuses tensions inutiles? Si c'est vraiment ce que vous désirez de tout votre coeur et de tout votre être, cultivez donc cette bonne habitude qui consiste, chaque soir avant de vous endormir, de lire et de bien vous pénétrer du meilleur conseil «anti-souci» qui soit, soit celui qui nous a été transmis par l'être le plus équilibré et aussi le plus sage qui soit passé sur notre planète. Comparés au conseil anti-souci de cet homme, tous les conseils qui ne sont que le fruit de la sagesse humaine, si pratiques soient-ils ont bien peu de valeur. Ce sage conseil, écrivez-le en belles grandes lettres et affichez-le dans un endroit bien en vue. Il n'y a rien à ajouter à ce conseil, car aucune sagesse humaine n'a pu et ne pourra jamais l'égaler. Ce merveilleux conseil anti-souci qui nous a été transmis à nous, pauvres humains soucieux, est tiré du fameux Sermon sur la montagne qu'a prononcé Jésus devant des miliers d'auditeurs attentifs. Voici donc en quels termes de haute sagesse divine s'est exprimé le plus grand prédicateur de tous les temps:

«Voilà pourquoi je vous dis: Cessez de vous inquiéter pour votre âme, de ce que vous mangerez et de ce que vous boirez, ou, pour votre corps, de quoi vous serez vêtus. L'âme n'est-elle pas plus que la nourriture, et le corps, plus que le vêtement? Observez attentivement les oiseaux du ciel, car ils ne sèment, ni ne moissonnent, ni ne recueillent dans des magasins; cependant votre Père céleste les nourrit. Ne valez-vous pas plus qu'eux? Qui d'entre vous en s'inquiétant, peut ajouter une seule coudée à la longueur de sa vie? Et à propos de vêtement, pourquoi vous inquiéter? Etudiez les lis des champs, comment ils croissent; ils ne peinent ni ne filent, or je vous dis que pas même Salomon, dans toute sa gloire, n'a été vêtu comme l'un d'eux. Si donc Dieux habille la végétation des champs, qui est là aujourd'hui et qu'on jettera demain au four, ne vous habillera-t-il pas à plus forte raison, gens de peu de foi? Donc, NE VOUS INQUIETEZ PAS, en disant: «Qu'allons-nous manger?» ou «Qu'allons-nous boire?» ou «De quoi allons-nous nous vêtir?» Ce sont là en effet toutes les choses que les nations recherchent avidement. Car votre Père céleste SAIT que vous avez besoin de toutes ces choses. Continuez donc à chercher d'abord le royaume et sa justice, et toutes ces (autres) choses vous seront ajoutées. Aussi NE VOUS INQUIETEZ JAMAIS du lendemain, car le lendemain aura ses inquiétudes à lui. A chaque jour suffit sont mal.»

Oui! Comme le suggère le Maître, observez attentivement les oiseaux du ciel. Quand donc avez-vous remarqué que des oiseaux soient affligés par toutes ces maladies qui sont notre lot à nous, humains sans cesse inquiets? Cependant, malgré toutes nos inquiétudes, notre état de santé est loin d'égaler celui de ces petites créatures ailées. Alors, la prochaine fois que vous serez tenté de vous faire du souci à propos de quoi que ce soit, dites-vous bien que vous valez bien plus

que les oiseaux aux yeux du Père céleste,
c'est-à-dire aux yeux de Celui qui a si intelligemment agencé tout notre univers et qui ne cesse de
s'occuper de nous. Le fait de se tourmenter sans
cesse n'est pas autre chose qu'un indice profond
de manque de foi. Vous qui êtes soucieux,
nourrissez donc votre foi et vos doutes mourront
vite de faim.

22

Comment développer
un bon moral

«Comme cette personne a un bon moral! Il lui arrive toutes sortes d'épreuves et cependant, elle continue de tenir courageusement le coup sans même se plaindre.» Combien de fois entendons-nous cette expression faite à l'égard de personnes qui supportent calmement et courageusement les diverses tribulations qu'elles ont à traverser et dont elles ne sont, bien souvent, pas même responsables.

Un bon moral: voilà ce qui permet à certaines personnes de se prémunir contre les nombreuses tensions de la vie quotidienne, lesquelles tensions ne manquent pas de surgir dans un système comme le nôtre où l'imperfection, la maladie, la misère, les infirmités, la dégénérescence, le vieillissement et la mort sont notre lot à tous.

S'il est certain que le fait de traverser une période d'épreuves, telle la maladie par exemple, puisse s'avérer être une puissante source de tensions, il est aussi certain que le fait de développer un bon moral ne manque pas d'être un puissant atout dans la prévention contre les tensions de notre siècle. On peut même affirmer que le fait de développer un bon moral peut aider la personne la plus éprouvée et la plus démunie à profiter pleinement de toutes ses facultés, soit mentales, nerveuses et physiques. Combien de fois voit-on des individus, pourtant en bonne santé et bien pourvus mentalement et physiquement, se plaindre constamment et gaspiller inutilement leur temps et aussi leur vie; alors que d'autres, pourtant fort démunis sous de nombreux aspects, mais qui ont appris à développer un bon moral, réussissent à vivre une vie fructueuse et remplie d'heureuses réalisations.

Oui, à condition que le moral soit bon, un être humain, quel qu'il soit, peut endurer les pires privations, d'inimaginables traitements et toutes sortes de tribulations. Nous en avons un bon exemple par ce qui s'est passé dans les camps de concentration nazis durant la seconde guerre mondiale. Des individus se sont effondrés, mentalement et physiquement, à la suite de dures privations et de mauvais traitements, tandis que d'autres, n'étant pourtant pas dotés de dons exceptionnels, mais qui avaient un bon moral, ont pu résister et endurer les pires souffrances sans même maugréer ou se plaindre. Bien au contraire, ces individus au «bon moral» avaient même la force et le courage nécessaires pour réconforter et aider leurs compagnons d'infortune. Pourtant, dans les deux cas, il s'agissait d'êtres humains dotés d'une constitution à peu près identique. La seule différence qui permettait à certains d'endurer les tribulations sans se plaindre ni s'effondrer, et à d'autres, par contre, à sombrer dans un profond découragement, se situait au niveau du moral. Ainsi, ceux qui avaient appris à cultiver et à développer un bon moral ont pu se prémunir contre de nombreuses tensions inutiles et néfastes.

Personne ne naît avec un bon moral. Le moral, tout comme la volonté, la foi, l'amour ou la bonté, est une attitude mentale qui peut se cultiver et se développer presque à l'infini chez l'être humain pourvu de la faculté de penser et de raisonner. Le moral est donc comme un fruit: s'il est soigneusement cultivé, il grandira à un point tel que la personne qui en est pourvue ne manquera pas d'être remarquée par les autres personnes de son entourage. C'est ainsi que l'on dit d'une personne qu'elle a un «bon moral».

Avoir un bon moral, c'est la faculté qui fait qu'une personne a réussi à développer une certaine attitude mentale qui lui permet d'endurer, sans gémir ni se plaindre, les diverses épreuves que la vie tient en réserve pour la formation des vrais hommes et des vraies femmes. Avoir un bon moral: voilà un atout précieux qui assure une totale tranquillité d'esprit, un bonheur plus complet, et aussi, qui permet de vivre une vie remplie de satisfaction à quiconque le cultive et le développe.

Mais comment peut-on développer un bon moral? Cette merveilleuse attitude mentale se développe en employant les mêmes moyens qui permettent à une personne obèse de perdre du poids, et ensuite de maintenir son poids à un niveau stable. Et comme il n'y a qu'une recette qui soit vraiment efficace pour perdre du poids, il n'y a aussi qu'une seule recette qui soit efficace pour permettre à quiconque le veut fermement de développer un bon moral. Tout comme l'obèse qui veut à tout prix perdre du poids, l'individu qui veut se munir d'un bon moral doit, lui aussi, développer certaines qualités qui lui seront essentielles pour pouvoir atteindre son objectif. Et quelles sont ces qualités? Ce sont la maîtrise de soi, la volonté, la fermeté, la modération, la régularité et la patience. Ce n'est qu'en cultivant très énergiquement ces qualités fondamentales qu'il devient ensuite possible d'acquérir un bon moral. Ce sont là et les moyens et la recette.

Ceci signifie qu'une personne, quelle que puisse être sa situation, cultivera la maîtrise de soi afin de cesser de gémir et de se plaindre à propos de tous les désagréments de la vie, qu'ils soient petits ou grands; qu'elle exercera sa volonté afin d'endurer courageusement les diverses épreuves qu'elle a à traverser pour un temps; qu'elle agira fermement en établissant des limites à ses problèmes afin qu'ils ne viennent pas envahir son existence tout entière; qu'elle sera plus régulière dans ses diverses activités quotidiennes, ce qui l'occupera et contribuera davantage à lui faire oublier ses tracas; qu'elle se montrera modérée dans ses habitudes afin d'empêcher certains problèmes, telle la maladie par exemple de prendre de l'ampleur; et finalement, cette même personne s'appliquera à cultiver la patience, précieuse qualité qui permet d'endurer bien des petits maux, et aussi de s'accommoder de certaines situations qui ne sont pas toujours des plus commodes. Ce sont là les précieuses qualités qu'il importe de cultiver afin de pouvoir développer un bon moral. Et plus une personne s'efforce d'acquérir ces qualités, à tel point qu'elles deviennent une partie inhérente de sa personnalité, plus profondément s'incruste en son être entier cette précieuse attitude mentale qu'on appelle communément «avoir un bon moral».

Un bon moral se développe en apprenant à toujours découvrir le bon côté de chaque situation. Agissez comme cet homme éprouvé que la vie n'avait nullement favorisé. Au lieu de se plaindre et de maugréer contre son mauvais sort, contre la vie et aussi contre tout le monde, cet homme au «bon moral» en arriva à la conclusion que si la vie ne lui avait donné qu'un citron, il ne lui restait plus qu'une seule chose à faire: apprendre à faire de la citronnade et à aimer les fruits acides. Si vous remarquez que la vie ne vous a pas avantagé du côté social, physique ou autre, cherchez bien, et ainsi vous ne manquerez pas de découvrir que vous êtes peut-être très avantagé dans un autre domaine.

On dit qu'un mal qui nous arrive nous en évite souvent un pire. En se rendant à l'aéroport pour prendre l'avion qui lui permettrait de s'envoler dans une autre ville afin de conclure une importante transaction financière qui lui assurerait des revenus dans les six chiffres, la voiture que conduisait un homme d'affaires entra en collision avec un lourd camion. Bien entendu, ce malencontreux accident empêcha cet homme d'affaires d'être à l'heure à l'aéroport, ce qui lui fit rater son avion. Bien plus, ce retard lui fit manquer l'affaire, laquelle lui fut enlevée par un concurrent qui a pu être présent au bon moment. Cette mésaventure découragea tellement cet homme qu'il en perdit le sommeil et l'appétit à force de se faire du souci d'avoir raté une si belle occasion de renflouer son entreprise. On peut facilement imaginer dans quelles lamentables conditions a dû vivre la famille de cet homme-là durant les mois que dura son tourment.

Cependant, six mois plus tard, ce même homme d'affaires retrouva vite son moral lorsqu'il lut dans le journal que l'entreprise qui lui avait proposé une affaire aussi alléchante fut forcée de déposer son bilan à la suite de nombreuses difficultés dues à certaines fluctuations économiques. La faillite de cette entreprise causa même la ruine du concurrent de cet homme déprimé. Combien de tensions inutiles cet homme aurait pu s'épargner s'il avait cultivé la bonne habitude de toujours tenir compte du bon côté qui se trouve caché dans chaque situation, même si telle situation peut paraître décourageante à première vue.

Pour développer un bon moral, il vous faut aussi apprendre à aimer tout ce que vous faites et à vous contenter de ce que vous possédez: votre travail, votre métier, votre foyer, votre conjoint, vos enfants, vos voisins, etc. N'oubliez pas qu'un facteur, tout comme un médecin ou un plombier, peut être intensément heureux en effectuant son travail s'il apprend à l'aimer; soit en concentrant son esprit sur les bons aspects qu'il ne manquera pas de découvrir s'il s'y applique le moindrement. Et si vous ne parvenez pas à aimer votre travail, apprenez au moins à aimer ce que vous faites. Si vous êtes un balayeur de rues, sachez que vous êtes infiniment plus utile à vos concitoyens que si vous étiez un mauvais chirurgien. Apprenez à tirer une leçon pratique du corps humain. Toutes les parties du corps ne sont peut-être pas toutes honorables, mais TOUTES sont utiles et même essentielles. Dites-vous bien que tout être humain est utile dans la grande roue de la vie; le riche peut éprouver beaucoup de joie à donner de ses biens à d'autres qui sont plus démunis que lui, et le pauvre peut tout aussi bien éprouver la même joie en donnant, non pas des biens matériels qu'il ne possède pas, mais de son attention et des encouragements, ou encore tout simplement un sourire à un plus miséreux que lui.

Pour développer un bon moral, efforcez-vous aussi d'imiter l'exemple d'autres personnes qui ont réussi à développer chez elles cette précieuse qualité qui leur permet d'endurer les pires difficultés. Remarquez bien que ces personnes au bon moral ne font pas qu'endurer patiemment les difficultés de la vie, mais en plus, elles sont des personnes productives qui connaissent une vie fort bien remplie. Une vie bien remplie: voilà sans doute une bonne façon de développer ce bon moral qui ne manque pas de se remarquer chez certaines personnes.

En pensant à certains exemples à imiter, si vous constatez que votre moral laisse à désirer, lisez donc l'émouvant récit de la vie de Rosanne Laflamme, cette merveilleuse fille de chez nous qui, après avoir subi un terrible accident à l'âge de trois ans, accident qui la priva de ses deux pieds et de son bras droit, déclare, dans son livre «Un seul membre mais une volonté de fer», qu'elle remercie le ciel de lui avoir permis de tant recevoir de la vie. Cette brave fille au bon moral, bien qu'étant démunie physiquement, a réussi à cultiver et à développer un bon moral en exploitant sagement et efficacement ses autres facultés, telles son intelligence et sa volonté par exemple; et ceci, à un point tel qu'elle a pu exceller dans des domaines où même les mieux nantis physiquement ne peuvent que se limiter à envier ses performances.

Il est bien certain que Rosanne Laflamme n'a pas tout ce qu'elle désirerait posséder; cela, même si son moral s'est développé à un niveau très appréciable. Mais franchement, qui, de nos jours, peut se vanter de posséder tout ce qu'il désire, que ce soit en avantages physiques, mentaux, sociaux, financiers, conjugaux, familiaux ou autres? S'il fallait que tous les êtres de notre planète puissent satisfaire tous leurs moindres désirs du jour au lendemain, plus aucun bonheur ne serait apprécié, car ce n'est souvent qu'en étant privé de certaines choses que l'on peut vraiment en apprécier d'autres. Oui! Lisez l'émouvant récit de la vie de Rosanne Laflamme et vous ne tarderez pas à constater jusqu'à quel point peu de choses vous empêchent de cultiver et développer un bon moral.

Si vous vous y exercez attentivement, et si vous le désirez fermement, vous pouvez, vous aussi, développer un bon moral, soit cette attitude d'esprit qui vous permettra d'endurer et d'affronter courageusement et sans vous plaindre les quelque difficultés que la vie tient en réserve pour la formation des forts et de ceux pour qui la réussite ne semble qu'une chose banale et toute naturelle. Développer un bon moral: voilà ce qui vous permettra de concentrer toute votre attention sur votre tâche quotidienne sans que votre esprit ne soit «bloqué» par tous les petits désagréments de la vie de tous les jours.

Commencez à vous y mettre dès maintenant afin de développer cette précieuse attitude que celle consistant à avoir un bon moral, et ainsi vous constaterez jusqu'à quel point vous serez prémuni contre les nombreuses tensions excessives et inutiles de la vie moderne. Comme l'a si bien écrit un sage roi de l'antiquité: «Saisis la discipline, ne lâche pas. Sauvegarde-la, car elle est ta vie.» Et si les forces vous manquent, il serait peut-être temps de réfléchir sérieusement au sens profond que revêtent ces paroles de l'apôtre Paul: «J'ai de la force pour tout grâce à Celui qui me donne de la puissance.»

23

Apprenez à adopter une attitude positive devant la vie

Une batterie d'automobile est pourvue de deux courants diamétralement opposés: un courant positif et un courant négatif. Si une batterie était pourvue de deux courants positifs, ou de deux courants négatifs, elle ne serait d'aucune utilité. Mais grâce à son ingénieux équilibre d'un courant positif et d'un autre qui est négatif, une batterie constitue une précieuse source d'énergie électrique qui reçoit, d'une part, sa charge du générateur et qui, d'autre part, la redistribue selon les exigences et les besoins requis; ceci, tout en gardant assez d'énergie en réserve pour assurer d'autres démarrages ultérieurs.

Il en est de même de chaque être humain. Pour être pratique, utile, productif et heureux, il convient d'être pourvu de deux courants équilibrés: d'un courant positif et d'un courant négatif. Etre une personne uniquemnt positive ne serait pas raisonnable, puisqu'il est des exploits que même les personnes les plus positives ne peuvent accomplir, tel le fait d'essayer de traverser l'océan Atlantique à la nage, vivre sans boire ni manger durant une année, ou encore travailler vingt-quatre heures par jour à l'année longue sans jamais prendre le temps de se reposer ou de dormir. Si ce genre de personnes positives existaient, elles ne seraient certainement pas à leur place sur notre planète, laquelle est habitée par des humains et non par des robots électriques ou des créatures spirituelles.

Par contre, être une personne uniquement négative ne serait guère plus avantageux. On peut facilement imaginer ce qui se passerait sur notre terre s'il n'y avait que des êtres négatifs au point qu'ils hésiteraient, ou refuseraient d'entreprendre quoi que ce soit, même de se marier et de mettre des enfants au monde. A cause de leur négativisme, il est bien certain que toute trace de vie ne tarderait pas à disparaître de la surface de notre planète.

Pour que la vie vaille la peine d'être raisonnablement vécue, et afin d'être en mesure de se prémunir contre les nombreuses tensions de la vie moderne, il importe de développer une personnalité équilibrée, soit une personnalité constituée d'un juste mélange de positif et de négatif; ceci, tout en agissant un peu à la manière d'une batterie d'automobile, soit en gardant en réserve assez d'énergie positive pour assurer des démarrages ultérieurs.

Malheureusement, notre monde étant plutôt rempli d'êtres aux attitudes négatives, il est nécessaire de travailler au développement positif de son caractère. Les attitudes négatives de notre monde actuel se manifestent dans tous les milieux de la société. La jeune fille hésite de se marier parce que sa grand-mère a subi une vie de souffrances avec son ivrogne et paresseux de mari, et aussi parce que le mariage de sa tante s'est terminé par un lamentable échec; et ainsi, l'attitude négative de cette jeune fille l'empêchera de se marier à cause de sa crainte, la plupart du temps injustifiée, de connaître elle aussi le même sort que ses deux parentes. Le jeune homme refusera d'épouser la jeune fille à qui il a fait un enfant, parce que son attitude négative lui dit qu'il n'a pas les moyens financiers de prendre en mains la responsabilité de son propre rejeton; et ainsi, c'est toute la communauté des travailleurs qui devra assumer le rôle de père et de pourvoyeur. Une famille se refusera quelques semaines de vacances salutaires au bord de la mer ou en campagne, parce que l'attitude négative du père lui dit qu'il ne peut se permettre une telle dépense «inutile». Un jeune homme refusera d'entreprendre la construction de sa propre maison tout simplement parce que son attitude négative lui dit qu'il n'est pas assez habile pour pouvoir effectuer des travaux de menuiserie, et que de toute façon, il n'a pas le temps ni l'argent nécessaire pour entreprendre un «tel projet»; et ainsi, ce jeune homme, ennemi de l'effort, sera condamné à payer des dettes énormes durant toute son existence en payant trois fois le prix d'une demeure qu'il aurait bien pu construire de ses propres mains. Une jeune fille refusera de se confectionner une robe, parce que son attitude négative lui dit qu'étant donné le fait qu'elle n'a jamais été habile en couture, elle gaspillerait certainement une belle pièce de matériel. Une personne refusera d'entreprendre l'étude d'une autre langue parce que son attitude négative lui dit que c'est «trop difficile», trop compliqué, et que de toute façon, elle n'a pas de temps à consacrer à cette occupation pour le moment. Une famille refusera de cultiver un petit jardin dans la cour arrière de la propriété familiale, parce que l'attitude négative des membres de cette famille leur dit que l'été est trop court, que la température sera peut-être mauvaise, et que de toute façon, les minimes économies réalisées ne valent guère la peine qu'un tel projet soit entrepris.

Une autre personne refusera d'entreprendre la lecture de la Bible parce que son attitude négative, souvent renforcée par les commentaires négatifs d'amis négatifs, lui dit que ce livre est «trop difficile à comprendre», et que pour l'instant, elle n'a pas le temps de s'adonner à une telle lecture; pourtant, il n'est pas de meilleur livre «anti-tensions» que la Bible. Une autre encore refusera d'entreprendre pour de bon le régime qui l'aiderait à se départir de ses quelques kilos de graisse en trop, tout simplement parce que son attitude négative lui dit qu'elle devra désormais se priver de certains aliments «délicieux» qu'elle s'est habituée à dévorer à toute heure du jour, et que la seule pensée de devoir se maîtriser dans ce domaine la fait déjà défaillir.

Un chômeur refusera de solliciter un emploi annoncé, parce que son attitude négative lui dit qu'il ne remplit pas les exigences de l'employeur et qu'une telle démarche ne sert à rien puisque, de toute façon, la place sera déjà prise par un autre lorsqu'il se présentera pour solliciter l'emploi. Un vendeur négligera de solliciter un client éventuel, parce que son attitude négative lui dit que ça ne sert à rien de perdre du temps puisqu'il est «convaincu» de ne pas recevoir de commande; pourtant, combien de vendeurs ont pu réaliser leurs plus grosses transactions en sollicitant des clients à qui ils ne croyaient pas pouvoir vendre. Un ouvrier refusera de quitter son emploi régulier, même s'il est mal rémunéré et insatisfait, parce que son attitude négative lui dit qu'il y a trop de risques à se mettre à son compte, et surtout, qu'il y a trop d'efforts à fournir de sa part. Finalement, une personne découragée décidera d'en finir avec la vie une fois pour toutes, parce que son attitude négative lui dit qu'il est inutile de continuer de lutter pour son bonheur. Et nous pourrions ainsi remplir des pages et des pages pour constater les nombreuses attitudes négatives provenant des innombrables êtres négatifs qui hantent lamentablement notre planète. Que de tensions inutiles sont subies et inutilement endurées par ces êtres déséquilibrés dans leurs attitudes négatives.

Il semble que tout, dans notre société, ait été conçu pour des êtres négatifs. On a remplacé les escaliers par des ascenseurs afin d'éviter à notre armée de négatifs de se fatiguer en faisant le peu d'exercice musculaire qui leur serait tellement salutaire. On a inventé toutes sortes de médicaments-miracles afin de soulager les maux de nos innombrables négatifs qui refusent de s'occuper de leur propre santé en se maîtrisant un peu plus dans le boire, le manger et le tabagisme. Il semble que même nos journaux aient été conçus pour les gens négatifs. Ils sont remplis de nouvelles négatives, soit de récits d'actes criminels, de drames conjugaux, de troubles familiaux, de récits de catastrophes; ceci, aux seules fins d'assouvir les besoins mentaux de notre armée de négatifs, lesquels semblent raffoler à l'extrême de ce genre de nourriture mentale bien négative, mais qui semble tout à fait adaptée à leur attitude d'esprit négative. Oui, ces gens-là, les négatifs, s'arrachent littéralement les journaux qui étalent au plus grand jour les activités les plus viles, les plus déprimantes et les plus négatives de notre pauvre humanité.

Pourtant, il n'y a pas que des nouvelles négatives à publier. Notre monde n'est pas uniquement rempli d'individus lâches, d'ivrognes, de menteurs, d'adultères, de meurtriers et de voleurs. Pourquoi ne pas mentionner de temps à autre le récit de tous ces braves et honnêtes travailleurs qui pourvoient quotidiennement aux nécessités pécuniaires et spirituelles des leurs, qui sont respectueux des lois et des droits d'autrui, y compris la vie d'autrui; qui sont fidèles à leur conjoint et qui s'acquittent humblement de leurs devoirs humains de tous les jours? Ce sont là des nouvelles positives qui stimulent. En fait, qu'est-ce qui stimule le plus un individu? Lire dans les journaux le récit du lamentable échec d'un homme de haut rang qui a lamentablement échoué dans la conduite de sa vie conjugale; ou bien, lire le récit d'un couple qui a réussi dans la poursuite de l'une des entreprises les plus importantes qui soient: la construction d'une cellule conjugale et familiale heureuse et saine au sein de laquelle il fait bon vivre? Ou, lequel des deux récits suivants peut bien stimuler le plus un lecteur: celui d'un criminel de carrière qui refuse de pourvoir honnêtement aux besoins matériels des siens; ou le récit de la vie d'un honnête vidangeur qui se montre un fidèle travailleur, honnête citoyen et bon père de famille? Oui! il y a tant de récits positifs à publier, des récits qui ne feraient que du bien à une société où les individus s'enfoncent de plus en plus dans le négativisme.

A force de lire des récits négatifs, de nombreux individus positifs en sont même arrivés à penser que toutes les activités humaines étaient négatives; et finalement, nombreux sont ceux parmi eux qui sont devenus des êtres négatifs.

Le négativisme s'est implanté dans de nombreux autres domaines encore. Que dire de ces affiches qui avertissent de faire attention au «chien dangereux»? Quand voit-on une affiche indiquant que le chien est «affectueux» ou «gentil»? Dans les grands magasins modernes, on affiche que vous serez arrêté et que vous irez en prison si vous êtes surpris à voler un article quelconque, tout comme si les grands magasins n'étaient fréquentés que par des voleurs. Mais pourquoi ne pas aussi afficher une carte de remerciements à l'intention des nombreux clients qui se montrent respectueux et honnêtes envers la propriété d'autrui?

Chaque journal quotidien renferme une page d'avis de décès, laquelle est remplie des noms et photos des derniers disparus. S'il est tout à fait convenable de témoigner des marques de respect à l'égard de nos chers disparus, il importe aussi d'adopter une attitude positive en guise de compensation. S'il convient de penser à la mort, il importe aussi de ne pas oublier la vie. Pourquoi ne pas publier une page remplie de photos et de noms de bébés nouveau-nés? Ce serait là un excellent stimulant pour les êtres positifs, pour ceux qui croient réellement à la vie. A en croire les journaux, on dirait qu'il n'y a que des gens qui meurent et personne qui ne naisse.

Les grandes entreprises commerciales ont élaboré de judicieux systèmes de comptabilité qui ne manquent pas de nous avertir rapidement et fermement aussitôt qu'un compte est passé dû. Mais quand fait-on parvenir un tout petit mot de remerciement à tous les gens ponctuels qui ont pris soin d'acquitter leurs comptes avant la date d'échéance?

Notre armée de négatifs s'empresse de critiquer le gouvernement, quel qu'il soit, et aussi tout le monde, dès qu'il y a négligence dans un domaine quelconque; mais quand prend-on le soin d'adresser un mot de remerciement à un membre de l'autorité qui s'est bien acquitté de sa tâche administrative et du bien-être qu'il a pu ainsi procurer à la population grâce à son esprit d'initiative et son sens du devoir?

Un être négatif s'empresse de critiquer le policier qui lui a remis une contravention parce qu'il a enfreint une loi du code de la route; mais pourquoi ne pas plutôt remercier ce même policier parce qu'il s'acquitte judicieusement de son devoir et que la vie de ses concitoyens lui tient à coeur?

Oui, réfléchissez à toutes ces attitudes négatives qui prévalent dans notre société et vous ne manquerez pas d'être surpris par vos propres constatations. Il faut vraiment faire de vigoureux efforts pour cultiver un esprit positif dans un monde où le négativisme semble régner en maître absolu.

Il est amusant de constater de quelle façon humoristique un de nos hommes positifs au Québec, Jean-Marc Chaput, a su illustrer cette attitude négative qui semble être la caractéristique principale de la plupart des êtres que nous côtoyons jour après jour. «Lorsqu'on regarde passer le cortège de la Saint-Jean-Baptiste, d'écrire Jean-Marc Chaput, on se demande lequel des deux, Jean-Baptiste ou le mouton, peut bien être notre patron?» Il s'agit là d'humour bien sûr; mais en général, toute pointe d'humour prend naissance dans quelque réalité de la vie de tous les jours. Et s'il s'agit d'humour, c'est afin de permettre à un certain message de mieux passer.

Pourquoi vous exposer à devoir supporter inutilement les nombreuses tensions inutiles que doivent subir, jour après jour, les êtres négatifs qui se refusent à toute action positive? Pourtant, il est assez aisé de se prémunir contre toutes ces tensions; il suffit de s'exercer à développer et à acquérir une attitude positive devant la vie. Non pas cette attitude de positivisme fantasque qui incite certains fanatiques à s'aventurer aveuglément dans des aventures ou des activités qui leur sont franchement dommageables, ou qui sont nettement au-delà des possibilités équilibrées de la nature humaine. Mais plutôt s'exercer à développer une attitude positive qui soit à la fois raisonnable et sagement équilibrée, laquelle attitude permet de profiter raisonnablement de la vie présente et de préparer judicieusement l'avenir au lieu de subir lamentablement la vie en étant accroché aux divers hasards de l'existence.

Il ne faut pas oublier que même les êtres les plus positifs doivent être équilibrés. N'allez pas croire, comme le prétendent certains livres traitant du sujet, qu'une attitude positive vous procurera à coup sûr la gloire, la richesse, la santé, le bonheur total et même le pouvoir de dominer vos semblables, ou encore de réaliser toutes vos ambitions, si louables soient-elles. Etre une personne positive, ce n'est pas être un individu qui acquiert la gloire, la fortune ou qui domine les autres. Non, être une personne positive, c'est être en mesure de supporter courageusement les nombreuses contrariétés de l'existence; d'envisager l'avenir avec confiance; ce qui, en retour, permet de se prémunir contre un flot de tensions inutiles.

On développe et on acquiert une attitude positive devant la vie en s'exerçant à découvrir tout ce qu'il y a de positif en chaque individu que l'on côtoie, en chaque chose et en chaque événement. Si votre meilleur ami vous a causé un tort quelconque, vous ne devez pas en conclure que votre ami est un être détestable qui n'est plus digne de votre affection ou un être à qui vous ne devez plus faire confiance parce que vous vous imaginez que tout le monde est indigne de votre confiance. Non, votre ami vous a peut-être causé un tort, ce qui constitue un acte répréhensible et sans doute irréfléchi de sa part, mais il ne faut pas penser que votre ami «est» un être détestable et indigne. C'est l'acte répréhensible et non votre ami que vous devez détester. N'allez pas adopter l'attitude de ces gardiens de la Brink's qui en sont rendus au point de soupçonner tout le monde, y compris les honnêtes gens, parce que quelques dangereux bandits sont en liberté. Ce n'est certainement pas en soupçonnant tout le monde et en se séparant des gens que l'on acquiert une attitude positive; c'est plutôt en leur faisant confiance et en les fréquentant qu'on développe et acquiert une attitude positive devant la vie.

Si vous souffrez d'une maladie qui vous occasionne de nombreux handicaps, ce n'est pas en maudissant la vie que vous parviendrez à développer et à acquérir une attitude positive. Ce n'est pas la vie qui est responsable de la maladie et ce n'est donc pas elle qu'il faut blâmer. Certes, il est fort désagréable de souffrir, mais n'empêche que la vie est toujours belle à vivre et qu'elle est et sera toujours une passionnante aventure. Combien de personnes malades et très démunies du côté santé ont réussi à s'adapter, et ainsi à vivre une vie intensément heureuse et comblée.

Si vous êtes en conflit avec votre conjoint à la suite d'opinions différentes, n'allez pas adopter une attitude négative envers cet être qui vous est proche au point de songer même à divorcer. C'est là une attitude négative que s'empressent d'adopter les êtres négatifs. Par contre, vous, vous pouvez développer une attitude positive en vous persuadant que votre conjoint a parfaitement le droit d'avoir des points de vue différents des vôtres. Respecter les divergences d'opinions des autres, y compris celles de son conjoint, voilà l'une des plus grandes preuves d'amour et une excellente façon de cultiver un esprit positif.

Si votre voisin est allé en voyage dans une certaine région et qu'il n'a pas aimé l'endroit qu'il a visité, n'allez pas en conclure que cet endroit ne mérite pas d'être visité. Votre voisin a des opinions et des goûts qui sont différents des vôtres, ne l'oubliez pas. Combien de personnes se privent de nombreuses petites joies de l'existence tout simplement parce qu'elles se laissent influencer par les goûts et les opinions des autres. Ce n'est certainement pas en agissant ainsi que l'on réussit à cultiver et à acquérir une attitude positive devant la vie.

Aussi, si votre meilleur ami a failli en se lançant dans une certaine entreprise commerciale, n'allez pas conclure que ce genre d'entreprise comporte des risques trop grands pour être exploitée. N'oubliez pas que votre ami n'avait peut-être pas l'expérience ou le talent requis pour exploiter ce genre de commerce. Gardez toujours bien présent dans votre esprit que dans de nombreux domaines commerciaux, là où neuf personnes échouent, c'est souvent la dixième qui remporte les plus grands succès. Tout dépend du temps, des circonstances, des individus, ainsi que de nombreux autres facteurs. Dans tout genre d'entreprise, la réussite n'est jamais faite sur mesure, il faut l'ajuster à ses proportions, à ses connaissances et à ses capacités. Combien d'êtres négatifs ont lamentablement rampé durant toute leur existence à cause de leur peur injustifiée de se lancer dans une entreprise qui semblait, à leurs yeux, beaucoup trop risquée.

Il en est de même du mariage. Combien de personnes négatives sont effrayées à l'idée de devoir s'«engager», tout simplement parce que certaines personnes de leur entourage ont lamentablement échoué dans la conduite de leur vie conjugale. Le mariage n'est pas une aventure qui comporte des risques; ce sont plutôt des êtres négatifs et indécis qui font que leur mariage se termine par un échec. Vous n'avez qu'à consulter les nombreux couples positifs qui mènent une vie conjugale heureuse depuis de nombreuses années et vous deviendrez très vite positif à l'égard de cet arrangement sacré et divin qu'est le mariage.

Que vous soyez à la recherche d'un emploi, que vous soyez présentement confronté avec de dures épreuves, ou que vous éprouviez certaines difficultés à entretenir de saines relations avec autrui; oui, dans quelque domaine que ce soit, vous serez calme ou tendu, heureux ou malheureux, dépendant de ce que sera votre attitude d'esprit, soit négative ou positive. Si votre attitude d'esprit est constamment négative, vous n'avez plus qu'une seule chose à faire: vous préparer à subir lamentablement les nombreuses tensions qui ne manqueront pas de vous envahir durant tout le reste de votre existence de tourments. Par contre, grâce à une attitude d'esprit positive devant la vie, soit cette bonne attitude acquise qui consiste à chercher et à découvrir tout ce qu'il y a de bon et de positif en chaque être, chaque chose et chaque événement, vous éprouverez une plus grande tranquillité d'esprit; et ainsi, vous serez solidement prémuni contre les tensions inutiles de la vie moderne. Ceci étant, vous serez donc plus disponible afin de pouvoir profiter pleinement de l'instant présent tout en étant apte à vous occuper raisonnablement de bien planifier votre avenir. Et dans les années à venir, pendant que les êtres négatifs se lamenteront de leur «mauvais sort», ou de leur «mauvaise fortune», et qu'ils vous traiteront de «chanceux», VOUS SEUL comprendrez vraiment que la tranquillité d'esprit, la joie de vivre, le bonheur raisonnable, ainsi que la vraie réussite, oui toutes ces choses, n'appartiennent qu'à une certaine catégorie d'individus, soit ceux qui se sont appliqués à cultiver et à acquérir l'une des attitudes les plus essentielles qui soient: une ATTITUDE POSITIVE devant la vie.

24

Apprenez à éduquer et à fortifier votre pensée

L'homme est un roseau, il est vrai; mais c'est un roseau pensant. Voilà ce qui distingue l'être humain de l'animal: la faculté de penser.

Chacun de nous possède cette force prestigieuse qu'est la pensée, et il n'appartient qu'à nous de choisir si nos pensées seront nos cruelles maîtresses ou nos fidèles servantes. Nous avons été conçus de telle façon, nous les humains, que si nous le voulons vraiment, nous pouvons devenir le générateur de notre paix intérieure, de notre tranquillité d'esprit, de notre bonheur et aussi de notre joie de vivre; ceci, à la condition d'apprendre à devenir le maître de nos pensées.

Tout est dans la pensée: voilà une réalité qu'il importe de ne jamais oublier si l'on tient à se prémunir contre les tensions excessives et inutiles de la vie moderne.

Peut-être vous demandez-vous quel rapport peut bien exister entre la pensée et les tensions? On peut facilement illustrer l'étroit rapport existant entre les deux par un exemple tiré d'une situation assez banale de la vie courante. Il est neuf heures du soir et vous êtes confortablement assis devant votre appareil de télévision en train de regarder et d'écouter attentivement votre programme favori. Toute votre attention est captée par le déroulement du programme qui se joue sur le petit écran. Tout à coup, le programme est momentanément suspendu afin de permettre l'annonce de quelques messages commerciaux. Un des messages fait l'éloge d'une délicieuse pizza soigneusement garnie; justement le mets que vous préférez le plus. Le jeu de la publicité ainsi que les couleurs de votre appareil vous permettent de contempler cet aliment de choix à un tel point que l'eau vous en vient à la bouche.

Maintenant, une toute petite pensée vient de traverser la frontière du champ de votre pensée, soit la pensée de déguster une délicieuse pizza; justement votre mets préféré. Mais avant qu'un désir puisse naître en vous, soit le désir de téléphoner à la pizzeria du coin afin de commander une pizza, vous commencez à vous parler à vous-même et à vous tenir le raisonnement suivant: «D'une part, je raffole de la pizza, mais d'autre part, je ne puis me permettre d'en manger pour au moins deux raisons valables: je dois absolument me départir de ces dix kilos qui me mettent de plus en plus mal à l'aise dans mes vêtements; et étant donné l'heure tardive, je serai sûrement malade si je mange une pizza avant d'aller au lit». Grâce à votre raisonnement logique, vous êtes donc arrivé à la conclusion qu'il est préférable, étant donné votre situation, de vous abstenir de pizza, même si c'est l'aliment dont vous raffolez le plus.

Maintenant, vous êtes fier de vous. Vous êtes heureux d'avoir pu raisonner ainsi et d'avoir pris la ferme décision de ne pas succomber à la tentation. Le fait d'avoir remporté une victoire sur votre gourmandise vous rehausse dans votre estime personnelle.

La série de messages publicitaires est maintenant terminée et votre programme favori continue de se dérouler. Toute votre attention est de nouveau captée par la scène qui se joue devant vos yeux. Mais tout à fait subtilement, voilà que vous commencez à être tourmenté par certaines idées de gourmandise qui vous travaillent l'esprit. Sans que vous en soyez tout à fait conscient, l'écran du champ de votre pensée commence à être bombardé par une pensée insidieuse qui essaie par tous les moyens possibles d'envahir le royaume de votre pensée. Après avoir remporté une victoire il y a à peine quelques minutes, voilà que maintenant la pensée de déguster une délicieuse pizza ne vous quitte plus. Vous êtes tellement absorbé par le déroulement du programme qui se joue sur l'écran de votre appareil de télévision que vos facultés mentales n'ont pas le temps de s'occuper de l'objet de votre gourmandise et de chasser une fois pour toutes cette pensée néfaste qui vous envahit de plus en plus.

Finalement, un peu à la manière d'un automate, n'y tenant plus, vous vous levez et vous rendez jusqu'à votre téléphone. Et sans même prendre le temps ni la peine de réfléchir, vous signalez le numéro de la pizzeria et commandez la pizza de votre choix. A peine un quart d'heure plus tard, le livreur sonne à votre porte et déjà, vous pouvez presque sentir l'odeur qui se dégage du précieux colis. Après avoir réglé le montant de la facture, vous faites un saut jusqu'au réfrigérateur pour y prendre une bouteille de boisson gazeuse, et en moins de quelques secondes, vous vous retrouvez confortablement assis dans votre salon devant votre appareil de télévision. Vous êtes tellement absorbé par le déroulement du programme que vous avalez gloutonnement, sans même prendre le temps de la savourer, cette pizza dont vous aviez tant envie.

Maintenant que vous avez mangé toute la pizza, vous vous sentez satisfait d'avoir pu combler un désir qui n'a pourtant été créé et développé que par une toute petite pensée, laquelle pensée s'est insidieusement introduite dans le champ de votre pensée, soit par le canal de votre ouïe et de votre vue. Pourtant, vous étiez bien déterminé à ne pas succomber à la tentation de manger une pizza, mais vous l'avez finalement mangée, voire dévorée.

Et ce qui devait inévitablement arriver commence maintenant à se produire. Votre programme favori est terminé et maintenant que l'attention de votre esprit n'est plus absorbée par le petit écran, vous commencez de nouveau à vous servir de votre faculté de raisonner. Des remords intérieurs commencent à naître et votre faculté de raisonner vous remet deux pensées importantes en mémoire: vous avez dérogé à votre régime auquel vous teniez tant; et aussi, vous serez certainement malade une bonne partie de la nuit après avoir mangé une telle pizza. Et plus vous raisonnez, plus votre remords grandit. Et plus le remords grandit, plus le processus de votre digestion s'en ressent. Et finalement, vos sombres prédictions se concrétisent: vous avez beaucoup de difficulté à digérer et vous êtes forcé de passer une bonne partie de la nuit à vous promener et à absorber toutes sortes de digestifs, à vous accabler de reproches. Vous vous êtes tellement tracassé et votre remords est si grand que maintenant c'est la tension qui vous empêche de dormir.

Le lendemain matin, après avoir passé une nuit blanche, vous vous retrouvez assis dans votre lit avec une humeur massacrante. Vous vous rendez à votre travail et ce jour-là, tout va vraiment de travers. Le soir venu, vous retournez chez vous et vous vous défoulez sur vos proches de toute la tension qui n'a cessé de vous envahir depuis le début de cette fameuse aventure de pizza. Que de tensions inutiles vous avez dû endurer à cause du fait d'avoir succombé à la tentation de savourer l'aliment de votre gourmandise! Aussi, que de difficultés ont dû endurer vos proches ainsi que tous ceux qui ont été forcés de vous côtoyer durant cette journée où tout a été de travers.

Est-ce le message télévisé ou la pizza qui est à blâmer? Quelle est la véritable cause de toute cette tension que vous avez inutilement endurée? Ce n'est ni la télévision, ni la pizza qui sont la cause de toute votre tension; c'est VOUS-MEME, c'est-à-dire la faiblesse de votre faculté de penser qui est à blâmer. Voilà pourquoi il importe d'apprendre à fortifier et à éduquer votre pensée. Plus un individu fortifie et éduque sa pensée, moins il a de tensions inutiles à subir et à endurer.

C'est là un exemple tiré de la vie courante de tous les jours qui illustre bien l'étroit rapport pouvant exister entre la pensée et les tensions inutiles. Dans l'exemple cité plus haut, voici ce qui s'est effectivement passé: une toute petite pensée s'est présentée à la frontière du champ de la pensée, et comme l'attention du gardien de ce champ, soit la faculté de raisonner ou le «moi raisonnable» était momentanément détournée vers un autre sujet, cette pensée de manger une pizza a finalement réussi à s'installer en intruse dans le domaine de la pensée. Et de façon très subtile, cette intruse a attiré vers elle ses consoeurs correspondantes, soit toutes les autres pensées se rapportant au mot «pizza» ou au fait de satisfaire un «besoin» de gourmandise, lesquelles pensées se trouvaient déjà classées dans les différentes cellules du cerveau. Et cette pensée, maintenant renforcée par ses correspondantes qui se trouvaient déjà résidentes permanentes dans le champ de la pensée, a fini par envahir tout l'écran du domaine de la pensée. Finalement, le coeur symbolique, le «moi émotif», a été alimenté par ce

214

qui se déroulait sur l'écran du champ de la pensée. Et une fois la base de la personnalité émotive atteinte, c'est finalement tout l'édifice qui a été ébranlé. Le coeur symbolique, le «moi émotif», ·a fait naître un désir si puissant de manger une pizza que la personne mentionnée dans notre illustration n'a pas pu résister à la tentation de commander et finalement, de manger toute une pizza; ceci, malgré tous les inconvénients que pouvait causer un tel geste.

Le problème, une fois que le coeur symbolique est alimenté par une pensée devenue envahissante, c'est que tout le corps entre en action afin de se préparer à satisfaire les désirs les plus profonds du coeur. Dans l'exemple qui nous concerne, une fois que le coeur symbolique a été atteint au point de désirer satisfaire un «besoin» de gourmandise, les glandes salivaires ont commencé à sécréter des enzymes afin d'amorcer le processus de la digestion, l'estomac à sécréter des acides afin de digérer les aliments qui y pénétreraient bientôt; et lorsque le travail des glandes est amorcé, il n'est plus possible de revenir en arrière. Etant donné que le corps était conditionné à manger une pizza, il fallait maintenant combler et satisfaire ce désir de gourmandise.

Comprenez-vous maintenant jusqu'à quel point peut être puissant le pouvoir d'une seule pensée, si minime soit-elle, lorsqu'elle a réussi à franchir la frontière du champ de la pensée? Dès qu'une pensée réussit à traverser la frontière de ce royaume et à s'y installer, elle se met immédiatement à la recherche des pensées qui lui correspondent et finalement, cette pensée initiale devient une puissance telle qu'elle envahit très rapidement tout le champ de la pensée. Et comme le coeur symbolique, ou le «moi émotif», se nourrit exclusivement de tout ce qui se déroule sur l'écran du champ de la pensée, une pensée devient donc finalement une force telle qu'elle stimule, conditionne et prépare tout l'organisme à agir conformément dans le sens de la pensée. S'il est possible de se débarrasser d'une pensée qui se présente à la frontière du champ de la pensée, il n'est, par contre, plus possible de le faire une fois qu'elle a commencé à alimenter le coeur symbolique.

«Chacun est attiré par son propre désir», d'écrire le disciple Jacques, et «une fois que le désir est devenu fécond, il donne naissance au péché (ou à l'action)». Que ce désir soit bon ou mauvais, salutaire ou néfaste, il conduira toujours à une action correspondante. C'est ainsi que le processus se déroule dans quelque action que ce soit. Les actions d'une personne sont pratiquement toujours déterminées par ce qui se joue sur l'écran du champ de la pensée. Et ce qui se joue sur cet écran dépend de la petite pensée subtile qui a réussi à franchir la frontière du royaume de la pensée.

Les pensées qui franchissent le champ de la pensée peuvent provenir, soit des pensées qui sont déjà incrustées dans les diverses cellules du cerveau, soit par le canal des sens: l'ouïe, l'odorat, le toucher, la vue, le goûter. Mais TOUTES les pensées, quelles qu'elles soient, ne peuvent franchir la frontière du champ d'action de la pensée qu'avec l'autorisation, ou la permission, du gardien de cette frontière, c'est-à-dire le «moi raisonnable», ce maître absolu de tout l'être qui permet à une personne de raisonner et de tirer des conclusions logiques. Tant et aussi longtemps que le «moi raisonnable», l'hypothalamus, se montre vigilant dans sa fonction de gardien, AUCUNE pensée subtile ou malsaine ne peut pénétrer dans le champ d'action de la pensée. Certes, ce petit royaume n'en sera pas moins constamment bombardé par toutes sortes de pensées, mais des pensées ne réussiront à franchir la frontière qu'avec l'autorisation de ce gardien, ou si son attention est détournée vers un autre sujet qui le captive entièrement.

De nombreuses tensions inutiles ne manquent pas d'envahir l'être qui est l'esclave de ses pensées et non leur maître absolu. Considérons l'exemple d'un homme qui ne cesse de penser à une autre femme que la sienne. Si cet individu, en plus de ses pensées sans cesse orientées vers d'autres femmes, se met à lire des revues pornographiques, ses pensées vont finalement atteindre son coeur symbolique, et une fois ce «coeur» atteint, cet individu commencera à convoiter d'autres femmes. Même si cette personne n'a pas de contacts charnels avec d'autres femmes, s'il ne cesse de «penser» aux relations illicites dont il pourrait profiter, c'est tout comme s'il commettait réellement l'adultère. «Mais moi je vous dis que quiconque continue à regarder une femme au point de la désirer, a déjà commis, DANS SON COEUR, l'adultère avec elle», de déclarer Jésus. Mais pourquoi parler d'adultère si aucun acte charnel n'a été posé? Tout simplement parce qu'une fois le coeur symbolique atteint, c'est tout le corps qui devient conditionné afin de commettre les actions correspondantes aux pensées. Même si un tel individu n'a pas de rapports charnels avec d'autres femmes, son attitude, ses paroles, son regard, ses humeurs et ses tensions le trahiront. Finalement, ce genre d'adultère «non satisfait pleinement» obligera cet individu à devoir subir un flot de tensions inutiles étant donné que le corps, bien que conditionné, n'a pas pu assouvir le «besoin» né de la convoitise. Pourquoi endurer de telles tensions alors qu'il aurait été si facile d'empêcher les pensées initiales de pénétrer dans le champ de la pensée?

Afin de vous persuader de la force de la pensée, constatez tout ce qui a été érigé et accompli dans notre monde. Des ingénieurs ont dessiné et construit des ponts et des édifices gigantesques. D'autres ont réussi à imaginer, à dessiner et à construire des avions, des fusées, des appareils de télévision, des montres et combien d'autres choses encore. Que dire de ces magnifiques tableaux que des artistes ont d'abord imaginés et dessinés sur l'écran du champ de leur pensée, ou de ces grands compositeurs de musique qui ont pu composer de magnifiques pièces, même s'ils étaient sourds, grâce à leur seule faculté de penser.

Toutes les grandes réalisations ont d'abord pris naissance sur l'écran du champ de la pensée, tout comme cette minuscule graine qui produit un grand chêne. Finalement, le germe (ou la pensée), si minuscule soit-il, devient une pousse qui grandit à un point tel que tout l'écran du champ de la pensée en est envahi. Et comme le coeur symbolique est alimenté par tout ce qui se déroule sur cet écran, des individus ont donc pu concrétiser ou réaliser des projets qui tiennent parfois du prodige. Et ce minuscule germe qui a franchi la frontière du royaume de la pensée et réussi à prendre racine dans ce champ n'a pu le faire qu'avec l'autorisation du gardien et maître absolu de ce petit royaume fantastique. Les réalisations des grands penseurs de notre monde nous démontrent toute la force que peut avoir une pensée lorsqu'elle est convenablement dirigée.

Voilà pourquoi il importe de toujours surveiller et analyser les pensées qui se présentent à la frontière du champ de la pensée. Le champ de la pensée est comparable à un tout petit royaume où il y a de la place pour une trentaine de milliards d'individus qui peuvent y résider en permanence. Chaque fois qu'une pensée pénètre dans ce royaume, elle s'installe en permanence dans l'une des cellules du cerveau et aucune puissance ne pourra plus jamais l'effacer. Pour vous en convaincre, remémorez-vous certains épisodes de votre vie passée; vous verrez jusqu'à quel point ils sont bien incrustés dans les diverses cellules de votre cerveau et toujours prêts à envahir l'écran du champ de la pensée. Si ce n'était de ce «moi raisonnable» qui règne en maître absolu dans le royaume de nos pensées, nous deviendrions vite le piètre esclave de toutes nos pensées. Lorsqu'on dort la nuit et que le «moi raisonnable» est profondément endormi, l'écran du champ de notre pensée est vite envahi par toutes sortes de pensées entremêlées et inimaginables. Le phénomène du rêve nous donne un bon aperçu de ce qui se passerait en nous si nous n'avions ce fidèle gardien qui est en mesure de mettre de l'ordre dans le fantastique royaume de notre pensée.

Que penser d'un gouvernement qui laisserait franchir les frontières du pays qu'il gouverne par toutes sortes d'individus indésirables: des ivrognes, des batailleurs, des voleurs, des assassins, des prostituées, des adultères, des paresseux, etc.? Il est certain que tôt ou tard, tout ce pays deviendrait vite un champ de corruption, et la décadence morale prendrait de telles proportions que c'est par l'intérieur que tout le pays serait menacé. Tout gouvernement respectueux des droits et du bonheur des habitants du pays qu'il administre veille avec grand soin à la qualité morale des gens qui se présentent aux frontières de son pays.

Il n'en est pas autrement du domaine de la pensée, lequel domaine peut aisément se comparer à un pays. Si le gardien des frontières de ce pays est négligent, endormi ou nonchalant, ce petit royaume ne tarde pas à être envahi par de nombreuses pensées nuisibles et malsaines. Et comme les pensées qui se présentent aux frontières de ce royaume s'y présentent par milliers chaque jour, on peut facilement imaginer comment peut devenir l'individu qui ne surveille pas les frontières du champ de sa pensée. Le coeur, n'étant alimenté que par ce qui se déroule sur l'écran du champ de la pensée, ne tarde pas à donner une orientation quelconque à un individu. Tout dépend donc de ce qui se joue sur cet écran. Les actions d'une personne seront toujours conformes avec le déroulement du film qui se joue dans le champ du royaume de sa pensée, sur l'écran de ce champ.

Il convient aussi de comprendre que l'écran du champ de la pensée ne peut être occupé que par une seule pensée à la fois. Faites donc l'expérience suivante: fermez les yeux et essayez de penser à votre automobile, votre maison, votre enfant, votre mère et votre chat, en même temps. Comme vous pouvez le constater par vous-même, c'est tout à fait impossible de bien se concentrer sur plusieurs choses à la fois. Par contre, pensez à une seule chose, votre foyer par exemple, et passez en revue sur l'écran du champ de votre pensée les moindres détails de l'intérieur de votre demeure. Comme vous le constatez, il vous est facile de vous concentrer sur une seule chose à la fois. Et comme vous l'avez sans doute remarqué, votre «moi raisonnable» a un contrôle absolu sur tout ce qui se déroule sur cet écran.

S'il est plus facile de ne penser qu'à une seule chose à la fois, c'est parce que le processus de la faculté de penser est conçu de façon à ne pouvoir s'occuper que d'une chose à la fois. Si tout ce processus n'était pas aussi merveilleusement agencé, nos pensées finiraient par nous détruire, étant donné que nous sommes des êtres faits de chair et d'os et non des créatures spirituelles. Vu la limitation de notre organisme, il est donc sage que tout soit agencé de cette façon.

Est-il possible d'avoir le contrôle absolu de ses pensées? En notre qualité de créatures imparfaites, ce n'est certes par une mince tâche; et sur ce point, l'apôtre Paul a bien raison quand il déclare dans l'une de ses lettres: «Le bien que je désire, je ne le fais pas». Par contre, s'il est difficile d'en arriver à avoir l'entier contrôle sur toutes ses pensées, il est au moins possible de fortifier et d'éduquer sa faculté de penser; ceci, afin de se prémunir contre les nombreuses tensions inutiles qui sont le lot quotidien de l'individu ballotté au gré de ses pensées. Il suffit de se remémorer l'exemple de notre mangeur de pizza du début de ce chapitre pour constater jusqu'à quel point le fait de ne pas éduquer et fortifier sa pensée peut s'avérer être une source de profondes tensions.

On peut fortifier et éduquer sa pensée en prenant d'abord conscience de l'existence de notre «moi raisonnable», ce géant conscient et puissant qui règne en maître absolu en chacun de nous. De nombreuses personnes ne parviennent pas à contrôler leurs pensées tout simplement parce qu'elles ne sont même pas conscientes de l'existence de ce géant qui est en mesure de contrôler tout ce qui se déroule sur l'écran du champ de la pensée. Il s'agit donc d'abord de réveiller ce géant, lequel est depuis longtemps endormi chez de nombreux individus. Afin de vous convaincre de la puissance de ce géant, donnez des ordres à certains membres de votre corps. Par exemple, ordonnez à votre bras gauche de bouger, et ensuite, de cesser de bouger. Ensuite, ordonnez à votre jambe droite de s'élever et de s'abaisser. Aussi, ordonnez à vos yeux de fixer un objet droit devant vous; ensuite, ordonnez à vos paupières de se fermer. Comme vous pouvez le constater, il vous est relativement facile de donner toutes sortes d'ordres aux différentes parties de votre corps. Ces ordres sont donnés par votre «moi raisonnable» ou «conscient» qui règne en maître sous la forme d'une minuscule partie de votre corps, soit l'hypothalamus.

Si votre «moi raisonnable» peut contrôler les diverses parties de votre corps, il peut tout aussi bien avoir le contrôle absolu de toutes les pensées qui sont projetées sur l'écran du champ de votre pensée. Ce contrôle absolu ne vient pas tout seul, il faut s'y exercer. Maintenant, exercez-vous à donner des ordres à votre pensée. Imaginez-vous qu'il y a un cameraman qui opère une caméra à l'intérieur du champ de votre pensée et que ce cameraman est sous vos ordres. Fermez les yeux et ordonnez à votre cameraman de projeter sur l'écran du champ de votre pensée l'image d'un cheval, d'un beau cheval blanc sur lequel vous êtes assis en cavalier. Ordonnez maintenant à ce même cameraman de projeter l'image d'un avion.

Maintenant, ordonnez-lui de projeter l'image d'un beau lac, un lac calme au bord duquel vous êtes en train de pêcher. Vous vous voyez même en train d'attraper un poisson. Vous pouvez ainsi donner tous les ordres que vous désirez à ce cameraman, et ce dernier s'empressera de satisfaire vos moindres désirs, soit de projeter les pensées que vous désirez voir se dérouler sur l'écran du champ de votre pensée.

Qu'est-ce donc à dire? Ces petits exercices signifient que votre «moi raisonnable», c'est-à-dire VOUS-MEME, est entièrement capable de dominer parfaitement tout ce qui se déroule sur l'écran du champ de votre pensée. Grâce à ces petits exercices que vous pouvez faire régulièrement, vous en arriverez finalement à fortifier et à éduquer votre pensée et vous parviendrez enfin à ne penser qu'aux choses que vous désirez vraiment voir se réaliser. Ainsi, au lieu de devenir vos viles maîtresses, vos pensées deviendront vos plus fidèles servantes. Et lorsqu'on pense à tous ces chefs-d'oeuvre qui furent réalisés par des êtres maîtres de leurs pensées, vous pouvez facilement imaginer quel prodigieux pouvoir se trouve en votre possession du seul fait que vous devenez, vous aussi, le maître absolu du royaume de vos pensées.

Dans un monde où tout un système s'efforce de s'emparer du contrôle de la pensée de chaque individu, il importe de s'exercer avec beaucoup de vigilance afin d'éduquer et de fortifier au plus haut point sa faculté de penser. Le champ de la pensée peut même être comparé à un petit enfant. Quand un jeune enfant a le privilège d'avoir des parents qui s'occupent de lui et qui prennent à coeur sa formation, il devient un adulte raisonnable, éduqué et fort, et jamais il n'aura à regretter la sage discipline qu'il a reçue de ses parents. Il en est de même pour la pensée. Lorsqu'elle est éduquée, formée et orientée par un être vigilant, en somme qu'elle est convenablement dressée, la faculté de penser ne pourra faire autrement que de produire des pensées qui seront stimulantes et de fidèles servantes. Les pensées sont des «servantes mentales» qui ne demandent qu'à être dressées. Elles sont dociles au point d'obéir aveuglément au maître absolu du royaume de la pensée. Que ce maître se montre vigilant et aucune pensée néfaste ne pourra atteindre le coeur symbolique, le siège des mobiles.

De tous les moyens de fortifier et d'éduquer sa pensée, c'est encore l'apôtre Paul qui a donné le meilleur conseil dans ce domaine. Voici en quels termes ce grand apôtre s'est adressé à ses frères Philippiens: «Enfin, frères, tout ce qui est vrai, tout ce qui mérite considération, tout ce qui est juste, tout ce qui est chaste, tout ce qui est aimable, tout ce qui a bon renom, s'il est quelque vertu et s'il est quelque chose de louable, que ce soit là l'objet CONTINUEL de vos pensées.»

Oui! Si le royaume de votre pensée est littéralement inondé de pensées saines, chastes, justes et de bon renom, votre coeur ne pourra faire autrement qu'être mobilisé vers une direction qui soit à la fois saine, chaste, juste et de bon renom; étant donné que c'est ce qui se déroule sur l'écran du champ de la pensée qui constitue la principale nourriture du coeur symbolique. Et étant donné que la bouche parle, et que les actions se produisent dépendant de l'«abondance du coeur», vous ne pourrez faire autrement que de vivre une vie qui soit à la fois raisonnable, juste et équilibrée; ce qui, en retour, vous évitera de subir toutes les tensions inutiles qui sont le lot quotidien des êtres qui sont esclaves de leurs pensées.

Gardez toujours présent à l'esprit que tout être humain est le produit de ses pensées. Tout ce qu'un individu pense, il l'est tôt ou tard. Vous désirez vous prémunir contre un flot de tensions inutiles? Vous désirez devenir le maître absolu de vos pensées et non leur piètre esclave? Si c'est vraiment ce que vous désirez, alors exercez-vous dès maintenant à éduquer et à fortifier votre pensée.

25

L'art merveilleux de la reconnaissance

La prochaine fois que vous sentirez la tension vous envahir, faites donc ceci: prenez une feuille de papier et un crayon, et confortablement assis à votre bureau, établissez une liste, qui soit aussi précise que possible, de toutes les occasions que vous avez de vous montrer reconnaissant envers les nombreux dons que vous avez reçus et recevez toujours de la vie.

Sur cette liste, vous pourriez d'abord y inscrire les nombreux services que vous rend votre corps. Avez-vous déjà pensé que sans ce corps merveilleux que vous possédez, vous ne seriez pas plus avantagé qu'un ordinateur ou une machine à calculer, lesquelles choses sont dépourvues de tout sentiment et de toute jouissance de la vie? C'est grâce à votre corps, soit à vos sens par exemple, si vous pouvez goûter à une grande variété d'aliments, contempler un beau coucher de soleil, entendre les joyeux rires d'un enfant ou le chant matinal des oiseaux, ou encore les sons d'une douce mélodie musicale.

Oui, votre corps vous permet de réaliser les désirs du coeur ainsi que les aspirations les plus profondes de l'âme. Et s'il vous venait à l'idée que votre corps n'a pas tellement de valeur à vos yeux, seriez-vous intéressé, immédiatement, sans y réfléchir, à vendre vos deux bras, vos deux jambes, ou vos deux yeux pour dix millions de dollars? Si vous répondez par la négative à cette offre, c'est donc dire que votre corps à lui seul constitue un «actif» d'une valeur inestimable, un actif que vous possédez bien à vous. Que de raisons vous avez de vous montrer reconnaissant envers ce merveilleux agencement que constitue votre corps, lequel vous a été donné tout à fait gratuitement. Vous n'avez qu'à en prendre soin, à bien l'entretenir, à bien le nourrir, et il vous servira durant de nombreuses années. Oui, sans ce don merveilleux que vous possédez, votre cerveau n'aurait pas plus de valeur que la cervelle de veau que vous pouvez vous procurer chez votre boucher pour quelques dollars le kilo.

Sur votre liste de «reconnaissance», vous pourriez encore y inscrire les nombreuses autres choses matérielles qui vous sont accessibles: la variété des aliments qui vous sont accessibles, l'oxygène que vous respirez et qui vous est si utile pour vous permettre de continuer de respirer et ainsi de vivre, toutes les beautés de la nature qui vous entourent et que vous pouvez contempler et admirer à votre aise. Avez-vous déjà songé à tout ce que nous procure cette merveilleuse «Dame Nature» comme on l'appelle? N'oubliez pas que sans son concours, nous aurions bien des problèmes de nutrition. Par exemple, quand a-t-on vu un être humain produire une carotte ou une pêche par ses propres moyens, et ceci, à partir d'une toute petite semence minuscule? Oui, sans «Dame Nature», nous ne pourrions pas vivre bien longtemps. Nous sommes souvent fiers de nous glorifier de tout l'argent que nous pouvons acquérir, mais en lui-même l'argent n'est pas un aliment, ce n'est qu'un outil permettant d'acheter des choses; mais ce qui nourrit et entretient l'organisme, ce n'est pas l'argent mais bien la nourriture que produit «Dame Nature». Tous les aliments synthétiques inventés par la science moderne font bien pâle figure comparés au travail de la Nature, laquelle pourvoit si généreusement à nos besoins alimentaires de chaque jour.

Sans doute nous faut-il travailler afin de nous procurer ce dont nous avons besoin pour nous nourrir, nous vêtir et nous loger, mais là encore, le travail est lui aussi une bénédiction pour l'être humain. Quand avez-vous rencontré des gens qui travaillent de leurs mains être tendus, déprimés ou au bord de la dépression? Par contre, constatez par vous-même dans quel lamentable état vivent les gens qui ne travaillent pas. Toute leur vie devient vite déréglée et remplie de nombreuses tensions inutiles. Lorsque Dieu ordonna à l'homme de cultiver le sol afin d'en tirer les aliments nécessaires à sa survie, c'était là un commandement tout à fait approprié pour la nature et la constitution de l'être humain. Oui, comme notre généreux Créateur, on peut à juste titre affirmer qu'il «est bon» pour l'être humain de travailler avec ses mains.

Sur votre liste de «reconnaissance», vous pouvez encore y inscrire de nombreux autres dons que vous possédez et qui sont autant de bonnes raisons de vous montrer reconnaissant. Que dire de votre conjoint, soit de cette personne qui a accepté de devenir votre épouse ou votre mari? Avez-vous déjà calculé la somme des services que vous rend votre conjoint? Pour votre information, des statisticiens ont établi que pour ce qui est de l'épouse et mère, les nombreux services qu'elle rend à son mari et à toute sa maisonnée, s'ils étaient calculés en argent, ces services se chiffreraient à plus de quinze mille dollars par année. Jamais une mère n'hésitera à sacrifier toute une nuit de sommeil afin de prendre soin d'un enfant malade; ou quand une épouse se plaint-elle du fait qu'elle doit laver et entretenir les vêtements de toute la famille? Et pour ce qui est du mari et père, que dire des nombreuses heures qu'il consacre au travail afin de pourvoir aux divers besoins pécuniaires de toute la famille, surtout en notre époque d'inflation galopante où tout n'est rempli que d'incertitudes, même la stabilité de l'emploi?

Alors, vous monsieur, vous madame, vous enfant, quelle que soit votre position au sein de votre famille, s'il vous arrive d'être tendu ou contrarié par les divers aléas de la vie, inscrivez donc sur votre liste de «reconnaissance» les nombreux services que vous rend votre épouse, votre mari, votre père ou votre mère. Le fait d'être conscient de tout ce que font vos proches pour vous rendre la vie plus agréable ne manquera certainement pas de vous débarrasser instantanément de toutes les tensions qui peuvent vous accabler. Qu'un peu plus de reconnaissance soit témoignée au sein du cercle conjugal et familial, et vous verrez plus de quatre-vingt-dix pour cent des problèmes de tension qui affectent notre société s'envoler comme par enchantement. Quand un foyer est rempli de tensions, ce ne sont pas des «pilules» pour calmer les nerfs qu'il faut aux divers membres de la famille, mais bien plutôt qu'un peu plus de reconnaissance mutuelle soit témoignée entre les divers membres de cette famille.

Il n'est pas de meilleur remède «anti-tension» que celui consistant à se témoigner mutuellement, à l'intérieur du cercle familial, des petites marques de reconnaissance; soit un peu plus d'attention, de compréhension et d'affection. Le fait de s'oublier un peu plus, afin d'apprécier ce que les autres font pour nous rendre la vie plus agréable à vivre, est un excellent antidote instantané contre les pires tensions de la vie moderne. Pour vous en convaincre, faites l'expérience suivante: vous le mari, si vous entrez chez vous le soir après une journée de travail, et que vous vous rendez compte que votre femme est épuisée et tendue à la suite de toutes sortes de difficultés, de travaux, de la maladie même, survenus au cours de la journée, appliquez le principe de la reconnaissance en témoignant un peu d'attention, de compréhension et d'affection, et vous ne tarderez pas à voir apparaître un doux sourire sur le visage de celle qui, il y a à peine un instant, était épuisée et tendue. Et vous madame, si vous voyez votre mari rentrer à la maison alors qu'il est fatigué et tendu après une dure journée de travail, montrez-vous reconnaissante envers lui, soit en lui témoignant des marques d'attention, de compréhension et d'affection, et vous aussi, ne tarderez pas à voir apparaître un sourire de soulagement sur ce visage tendu et fatigué.

Peut-être penserez-vous, en lisant ces lignes, que dans votre cas c'est différent et même «impossible» d'agir ainsi avec votre conjoint, car selon vous, il s'agit d'un être à part des autres, un être insupportable comme on dit. Si c'est là l'opinion que vous avez à l'égard de votre conjoint, avez-vous déjà pensé que c'est peut-être justement l'absence de marques de reconnaissance de votre part qui est en partie responsable de l'attitude actuelle de celui ou celle que vous avez pourtant volontairement et délibérément choisi d'épouser, d'aimer, de supporter et de chérir jusqu'à ce que la mort vienne briser cette union? Et si votre conjoint est vraiment tel que vous le décrivez, alors pourquoi l'avez-vous épousé? S'il n'y a vraiment rien à faire avec lui, ou avec elle, cela ne laisse-t-il pas quelque indice sur la qualité de votre jugement, étant donné que vous étiez tout à fait libre de vous unir ou pas? Allez-y donc!

Faites un tout petit effort. Soyez positif envers cette personne qui vous rend tellement de services. Et si vous ne vous rendez pas compte de tout ce que votre conjoint fait pour vous, alors cherchez. C'est justement pour cette raison qu'il convient de faire une liste et d'y inscrire les nombreuses choses que tous nous avons tendance à oublier très vite.

Et si vous n'êtes pas marié, ou que vous êtes une personne qui vivez seule, vous aussi, vous pouvez avoir de nombreuses raisons de vous montrer reconnaissante envers les nombreux services que vous rendent vos concitoyens. Si vous êtes sans cesse tendu ou irrité à propos de tout et de rien, inscrivez donc sur votre liste de «reconnaissance» les services que le facteur vous rend en vous livrant fidèlement votre courrier; ou inscrivez les services que vous rendent les policiers et les pompiers qui veillent sur votre sécurité et qui sont toujours disposés à vous venir en aide et même à vous sauver la vie si c'est nécessaire; encore, pensez aux travailleurs dans les hôpitaux qui sont toujours disposés à vous accueillir et à vous soigner si le besoin se fait sentir. Peut-être penserez-vous que ces gens-là sont payés et reçoivent un salaire en compensation pour leurs services; mais n'oubliez pas que ces travailleurs pourraient fort bien cesser de travailler et, comme bien d'autres, se laisser entretenir par les autres s'ils étaient paresseux. De plus, il est absolument impossible d'évaluer en argent les services d'un médecin, d'un policier ou d'un pompier qui sauve une vie dans l'exercice diligent de leur devoir, étant donné que la vie n'a pas de prix.

Sur votre liste de «reconnaissance», n'oubliez pas non plus les vidangeurs qui reçoivent rarement des marques de reconnaissance pour tous les services qu'ils rendent à la société. Nos villes deviendraient vite un immense dépotoir si ces courageux travailleurs n'avaient le coeur de se lever très tôt le matin afin de s'occuper de nos déchets.

La prochaine fois que vous sentirez la tension vous envahir, que ce soit à la suite de frustrations, d'irritations, ou par toute autre raison, OUBLIEZ-VOUS donc un peu et pensez aux nombreuses occasions que vous avez de démontrer de la reconnaissance envers les nombreux dons que vous avez reçus et recevez toujours de la vie, et aussi envers tous ceux que vous côtoyez chaque jour et qui vous rendent souvent des services inestimables.

Qu'il s'agisse du facteur, lequel n'hésite pas à vous livrer votre courrier par quelque température que ce soit; du camelot qui vous livre à domicile votre journal quotidien; de la serveuse de restaurant qui s'est aimablement occupée de vous; de la caissière du magasin qui vous a souri lorsque vous êtes passé à sa caisse, bien qu'elle fût littéralement débordée de travail. Toutes ces personnes sont payées, il est vrai, mais uniquement pour le travail concret qu'elles effectuent. Par contre, leur gentillesse, leur diligence, leur fidélité, leur ponctualité, oui toutes ces merveilleuses qualités, elles vous en font bénéficier tout à fait gratuitement. Dispensez donc un peu de votre reconnaissance à ces personnes, soit en les félicitant pour le bon travail qu'elles effectuent, et vous ne vous en porterez que mieux. Gardez toujours bien présentes à l'esprit ces paroles de l'évangile: «Il y a plus de bonheur à donner qu'à recevoir». Donnez de la reconnaissance à ceux qui vous rendent tant de services. C'est là une nouvelle façon d'être heureux que vous ne soupçonniez peut-être pas.

Notre monde est rempli de tensions inutiles et excessives tout simplement parce qu'il ne pense plus à dire «Merci», et tous les services rendus sont presque toujours considérés comme étant des choses acquises. Notre monde ressemble un peu à une feuille de papier: dès qu'une toute petite tache d'encre apparaît sur le papier, la plupart des gens s'empressent de gémir, de critiquer et de se plaindre. Mais peu nombreux sont ceux qui pensent à démontrer un tant soit peu de reconnaissance pour la vaste partie de la feuille qui est demeurée intacte et blanche. On s'empresse de critiquer aussitôt que quelque chose ne tourne pas rond, mais on n'est pas aussi prompt à dire merci pour tout le bon travail accompli par une armée de travailleurs désintéressés qui contribuent à l'amélioration des conditions de vie de leurs concitoyens. Faut-il alors se surprendre, étant donné un tel état d'égoïsme généralisé, que tant d'individus soient aux prises avec autant de tensions inutiles, lesquelles tensions sont souvent excessives, malsaines et néfastes pour ceux qui les subissent. Les tensions et l'égoïsme sont des amies inséparables qui se complaisent dans les sols stériles des nombreux individus réservés dans leurs marques de reconnaissance.

La prochaine fois que vous sentirez la tension vous inonder comme une pluie torrentielle, faites donc une pause et appliquez-vous à dresser une liste, qui soit aussi précise que possible, des différentes et nombreuses occasions que vous avez de vous montrer reconnaissant envers les nombreux dons que vous recevez quotidiennement de la vie et des autres êtres humains qui vous entourent. Ne faites pas simplement que dresser une liste, empressez-vous aussi de remercier chaleureusement et sincèrement quiconque mérite un peu de votre attention, de votre compréhension et de vos encouragements. Ouvrez bien grand les yeux et observez attentivement ce qui se passe autour de vous; vous vous rendrez très vite compte que ce ne sont pas les occasions de témoigner de la reconnaissance qui manquent. Après tout, notre monde n'est quand même pas rempli et constitué uniquement de voleurs, de paresseux, d'assassins, de mauvais parents et de dictateurs. Il existe de nombreuses personnes serviables et fidèles qui méritent d'être encouragées pour les loyaux services qu'elles rendent à la communauté; et pour que ces êtres serviables puissent continuer de demeurer des atouts précieux à la société, il faut leur témoigner de la reconnaissance.

En vous exerçant à cultiver la bonne habitude de la reconnaissance, vous vous oublierez un peu plus, et ainsi vous ne tarderez pas à retrouver une profonde tranquillité d'esprit, plus de calme et une plus grande paix intérieure; soit tous les bienfaits que vous n'aurez pas à regretter. Tous ces bienfaits, que vous retirerez grâce aux marques de reconnaissance que vous témoignerez à vos semblables, ne manqueront pas de vous équiper solidement contre un flot de tensions inutiles. Bien plus, vos marques de reconnaissance, si minimes soient-elles, vous procureront une joie indescriptible et un nouveau bonheur jusqu'alors insoupçonnés. En effet, quelle grande joie vous éprouverez lorsqu'à la suite de vos marques de reconnaissance, vous verrez apparaître un heureux sourire de satisfaction et un nouveau bonheur sur le visage d'une personne dont, bien souvent, les encouragements constituent les seules raisons valables d'accomplir des tâches souvent ingrates et monotones. N'allez donc pas vous priver de toute cette joie et de ce bonheur qui sont à votre portée, soit le fait de faire apparaître un sourire sur un visage tendu et souvent découragé.

La reconnaissance: voilà un art merveilleux qui mérite d'être cultivé par quiconque tient à se prémunir contre les moments de découragement, les désagréments souvent ingrats et injustes de la vie actuelle, et surtout, se prémunir contre les nombreuses tensions de la vie moderne. Si vous voulez vous assurer une vie heureuse et une totale tranquillité d'esprit, gardez toujours bien présentes à votre esprit ces précieuses paroles de

Jésus: «Il y a plus de bonheur à donner qu'à recevoir». Ne vous privez pas de ce bonheur qui est à la portée de tous!

26

La générosité:
le meilleur «anti-tension»

Avec la reconnaissance, on peut dire que sa soeur jumelle, la générosité, est le meilleur «anti-tension» qui soit. La raison en est que les personnes généreuses sont des personnes qui donnent d'elles-mêmes, soit qui s'oublient afin de partager avec d'autres qui sont plus démunies qu'elles. Et toutes les personnes qui s'oublient un peu afin de penser aux autres ont beaucoup plus de facilité à vaincre le découragement, et aussi à se prémunir contre les nombreuses tensions de la vie moderne. Par contre, les personnes égoïstes, celles qui ne pensent qu'à elles, sont presque toujours tendues; ceci, pour la raison que toute leur vie n'est axée, ou limitée, que sur elles-mêmes et leur personne; ce qui les oblige donc à penser continuellement à leurs problèmes.

Un auteur a écrit que notre monde était divisé en deux catégories d'individus: les gens qui reçoivent et ceux qui donnent. «Et, d'ajouter cet auteur, les gens qui reçoivent mangent peut-être mieux, mais ceux qui donnent dorment bien mieux». Quelle grande vérité que la déclaration de cet auteur.

Sans doute avez-vous déjà lu cette histoire au sujet de la mer de Galilée et de la mer Morte. Il convient ici de la répéter afin de mieux illustrer jusqu'à quel point la générosité peut être avantageuse lorsqu'on la compare à l'égoïsme. Comment se fait-il que la mer de Galilée soit remplie de poissons et de vie, alors que la mer Morte est, comme son nom l'indique, «morte», soit dépourvue de toute trace de vie? S'il en est ainsi, c'est parce que la mer de Galilée reçoit le fleuve Jourdain et qu'elle le redonne. Par contre, la mer Morte, elle, reçoit le même fleuve, mais contrairement à la mer de Galilée, elle le garde égoïstement pour elle.

Une chandelle perd-elle de sa chaleur et de sa lumière en communiquant de sa flamme à d'autres chandelles? Non, bien au contraire. Plus une chandelle en allume d'autres, plus grand est son foyer de lumière, et plus intense est la chaleur qui se dégage de toutes les chandelles réunies.

Il en est de même des couples qui s'unissent afin de communiquer la vie à d'autres êtres, en mettant au monde des enfants. Des individus perdent-ils de leurs énergies et de leurs biens en transmettant la vie à leurs enfants? Non, bien au contraire. Plus il y a d'individus dans une famille, plus grande est la somme de caractère, de connaissance et d'entraide qui se dégage d'une telle famille. Est-ce sans raison que le Psalmiste a écrit: «Les fils sont un héritage de Jéhovah; le fruit du ventre est une récompense. Comme des flèches dans la main d'un homme puissant, ainsi sont les fils (et aussi les filles) de la jeunesse». Et le Psalmiste ajoute ces autres paroles: «Heureux l'homme valide qui en a rempli son carquois! Ils n'auront pas honte, car ils parleront avec des ennemis dans la porte». Pour vous convaincre de la véracité de ces paroles, consultez les couples âgés qui n'ont pas connu la joie d'avoir des enfants dans leur jeunesse et vous serez mieux à même de saisir tout le sens de ces paroles qui n'ont quand même pas été consignées dans la Bible pour rien.

Il n'en n'est pas autrement avec la générosité. En donnant, on ne fait pas autrement qu'augmenter son énergie vitale et sortir grandi et avantagé sous de nombreux aspects. Tout comme un muscle se fortifie grâce à un programme d'exercice régulier, ainsi en est-il avec la générosité: elle ne fait qu'augmenter le capital bonheur de tous ceux qui l'exercent.

Que tous les humains de notre planète se mettent tout d'un coup à cultiver et à pratiquer l'esprit de générosité les uns envers les autres, et instantanément, une armée de psychiatres, de médecins, de policiers, de juges, d'avocats, de militaires, de gardiens de prisons et de conseillers matrimoniaux se verront dans l'obligation de se chercher du travail dans l'exercice d'un autre métier. Il n'est pas difficile de constater que presque tous les individus qui oeuvrent dans ces divers champs d'activité ne doivent leurs emplois qu'à l'égoïsme des nombreux humains qui manquent de générosité et d'amour entre eux.

La générosité n'est pas simplement une affaire d'argent, ni de cadeaux, surtout aux environs d'une certaine période spécifique durant l'année. La générosité s'exerce et se pratique dans tous les domaines de l'activité humaine: générosité dans le sourire, générosité dans les encouragements, générosité dans les compliments, générosité dans le pardon envers les manquements et les offenses d'autrui, générosité dans la bonté, dans la douceur, dans la maîtrise de soi, dans la patience, dans la joie, dans la longanimité, dans la paix, etc., etc... Il n'y a pas de limites dans l'exercice de cette merveilleuse qualité qu'est la générosité.

Prenons l'exemple d'une personne qui se sent frustrée facilement à cause des manquements ou des offenses de ses semblables. Une telle personne, étant donné qu'elle prend tellement à coeur tout ce que les autres font, ou ne font pas, pour elle, ne manque pas de s'exposer à se voir envahir par de nombreuses tensions inutiles, lesquelles tensions peuvent lui causer toutes sortes de maladies et même la tuer. Par contre, une personne qui se montre généreuse dans son pardon et qui cultive l'art d'oublier à jamais les manquements d'autrui ne peut faire autrement que se trouver solidement prémunie contre un flot de tensions inutiles, agaçantes, malsaines et souvent mortelles.

Dans notre monde, où le mode de vie contemporain s'industrialise de plus en plus, ce ne sont pas les occasions de cultiver et de pratiquer cette précieuse qualité qu'est la générosité qui manquent; car jamais, autant qu'à notre époque, les gens ne se sont sentis autant seuls, délaissés et profondément démunis sur le plan humain. Il est facile de cultiver la générosité en parlant un peu plus avec les gens seuls. N'allez pas penser que les personnes qui vivent seules ont tout ce qu'il leur faut parce qu'elles possèdent la télévision en couleur, ou parce qu'elles reçoivent un «chèque» à la fin du mois. Ce sont là des accessoires qui peuvent contribuer à procurer les nécessités de la vie et à rendre celle-ci un peu plus agréable à vivre. Mais pour être heureux, être vraiment heureux, la chaleur humaine, soit la seule chose qui se communique grâce à l'esprit de générosité, est ce dont un être humain, quel qu'il soit, a le plus besoin, surtout à notre époque durant laquelle la recherche de biens matériels se poursuit de façon intensive. La générosité, soit le partage de soi-même avec les autres, est un besoin tout aussi essentiel pour nous, comme pour tous nos semblables, que l'air que nous respirons ou les aliments dont nous nous nourrissons.

Nous vivons présentement dans un monde où l'accent est plutôt mis sur la personne elle-même, soi le «moi» d'abord. Travailler très dur et de longues heures par jour afin de posséder sa maison, son auto, son chalet, satisfaire ses moindres caprices personnels, préparer ses vacances, s'occuper de son conjoint, de sa famille, de son chat, de son chien, etc.; ce ne sont là que quelques-uns des «besoins» que la plupart des gens s'efforcent de combler d'«abord». Et après que tous ces «devoirs» ont été accomplis, il faut bien profiter d'un peu de repos bien mérité, soit s'étendre confortablement devant son appareil de télévision et regarder passivement vivre les autres pendant que des parents, des voisins ou d'autres qu'on qualifie d'«amis» ont une soif intense de chaleur et de présence humaine.

On n'a qu'à constater quel esprit de panique se développe dès qu'une tempête de neige se déclenche pour s'appercevoir que l'esprit de notre siècle, soit l'esprit d'égoïsme, est loin d'être avantageux pour la race humaine. Pourtant, nos grands-parents ont, eux aussi, connu des tempêtes de neige durant les durs hivers qu'ils ont traversés, mais jamais la panique ne s'est emparée d'eux. Et pourquoi n'étaient-ils pas bombardés de tensions aussitôt qu'un malheur s'abattait sur eux? Tout simplement parce qu'ils comprenaient qu'une chandelle ne perd rien à sa flamme en communiquant de sa chaleur à d'autres chandelles. C'est grâce à cette précieuse qualité, soit la générosité, que nos ancêtres ont pu survivre et surmonter les pires difficultés alors qu'ils étaient démunis de presque tous les avantages que nous possédons à notre époque: électricité, eau courante, automobile, hôpitaux ultra-modernes, médecins spécialisés, magasins remplis de tout ce qui peut satisfaire nos moindres caprices, etc. Il est vrai que nous sommes très avantagés sur l'aspect matériel, mais le sommes-nous plus en chaleur humaine, en générosité, en tranquillité d'esprit, en calme intérieur, en joie et en bonheur? Un simple regard dans la plupart des foyers modernes, les asiles psychiatriques, les hôpitaux, les prisons, les usines, dans les grands centres d'achats et sur les grandes routes modernes, nous convainc très vite que ce n'est pas notre siècle qui connaît le championnat dans le domaine de la joie et du bonheur quotidien.

Nos ancêtres, il est vrai, étaient démunis sous de nombreux aspects, mais qu'il survînt une difficulté quelconque et presque aussitôt, toute la famille ou toute la communauté s'unissait comme un seul membre dans un vigoureux élan de générosité afin de panser la plaie de la difficulté. Avaient-ils besoin de soins psychiatriques ou de drogues afin de «calmer» leurs nerfs tendus? Non, nullement; ils savaient mettre adroitement à profit le meilleur «anti-tension» qui soit et qui est à la portée de tous les êtres humains depuis la fondation du monde: la GENEROSITE.

Avez-vous déjà observé attentivement le visage d'une personne égoïste? Si oui, vous avez sans doute remarqué un visage tendu et triste. Et si vous savez lire dans les yeux de l'individu qui possède un tel visage, vous ne manquerez pas de découvrir un être profondément seul et malheureux. Par contre, observez attentivement les gens qui sont généreux dans les différents domaines de l'activité humaine; vous ne manquerez pas de découvrir des visages épanouis, joyeux, détendus et heureux de vivre. Et derrière un visage heureux, c'est tout un être heureux de son sort que vous ne manquerez pas de découvrir.

Bien entendu, en parlant de générosité, il ne s'agit pas de ce semblant de générosité qui consiste à donner du «bout des doigts» aux seules fins d'espérer recevoir quelque chose en retour. Tous, nous connaissons bien cette fièvre soudaine de générosité qui apparaît comme un feu de paille durant l'époque du «temps des fêtes», laquelle «générosité» fait souvent plus de gens déçus et malheureux, et aussi plus d'ennemis après le déballage des cadeaux qu'avant. Il ne s'agit pas non plus de cette soi-disant générosité qui consiste à donner aux seules fins de se faire une grande publicité.

La vraie générosité est celle qui consiste à donner de «soi-même», soit de son temps et de ses efforts, dans un esprit de fraternité humaine. Ce genre de générosité, la vraie générosité, se pratique sans aucune espèce d'arrière-pensée, sans rien espérer recevoir en retour. C'est ce genre de générosité qui constitue le meilleur «anti-tension» qui soit, et aussi le meilleur remède contre le découragement collectif de notre époque. Mettez donc ce genre de générosité à l'épreuve dans votre vie de tous les jours, et ainsi apprenez à profiter avantageusement et abondamment de ce merveilleux «anti-tension» qui est à la portée de tous. Oui, mettez ce genre de générosité à l'épreuve et découvrez toute la véracité de ces paroles: «L'âme généreuse engraissera, et celui qui arrose libéralement sera, lui aussi, libéralement arrosé».

27

L'importance d'une bonne conscience

Il est certain que si Dieu est toujours disposé à nous pardonner nos péchés, notre système nerveux, lui, n'est pas toujours prêt à le faire. L'étroit rapport existant entre la tranquillité d'esprit et une bonne conduite de vie d'une part, et les tensions et un mode de vie désordonné d'autre part a, depuis longtemps, été observé chez les êtres humains.

Depuis la création du monde, les êtres qui se sont adonnés à un mode de vie déséquilibré et désordonné n'ont pas manqué de subir de nombreuses tensions, lesquelles tensions leur furent souvent fatales. Les nuits d'orgie, les sautes d'humeur et les tensions excessives des dictateurs du passé ne manquent pas de frapper l'observateur qui lit les archives du passé. Un dictateur romain, dont la conscience avait certainement été troublée par une dénonciation publique, n'a pas hésité, suite à la requête de sa concubine, à ordonner la décapitation de Jean le Baptiste. Un autre dictateur romain, ayant été averti de la naissance d'un grand Roi dans la région qui était sous sa juridiction, n'a pas hésité à ordonner le massacre de milliers de jeunes bébés innocents. A part le fait de vivre dans un état de tensions excessives, comment expliquer de telles décisions venant de la part de si hauts dignitaires? Un autre encore, un ancien pharaon d'Egypte a, lui aussi, montré jusqu'à quel point les tensions et une conscience troublée devaient être son lot quotidien. Au seizième siècle avant notre ère, dans le seul but d'assouvir son désir d'extermination, ce pharaon n'a pas hésité à ordonner la mort de tous les enfants mâles nés de femmes israélites. Une telle décision ne peut venir que d'un être déséquilibré, perturbé et étant la proie permanente de nombreuses tensions excessives. L'histoire nous relate aussi le cas de Saül, cet ancien roi d'Israël dont la jalousie maladive et la haine contribuèrent à la perte de la paix et de la sécurité de toute une nation.

Plus près de nous, que constatons-nous en écoutant des enregistrements de discours ou en lisant des livres sur le mode de vie de certains dictateurs contemporains? Que dire des exemples de Hitler, Mussolini, et d'autres qui sont encore vivants de nos jours? Leur mode de vie désordonné et les nombreuses tensions qui les assaillent prouvent qu'il existe bel et bien un étroit rapport entre le fait d'avoir une conscience chargée et une vie remplie de tensions. On peut imaginer dans quel état de tension devait se trouver Hitler étant donné qu'il choisit de se suicider. Sans doute avait-il la conscience trop chargée pour pouvoir continuer de vivre en paix.

Lorsqu'on regarde la photo d'un criminel de carrière dans un journal, quel genre de visage apparaît? Un visage calme, joyeux, ou plutôt, un visage profondément tendu? Tout lecteur qui est le moindrement observateur est en mesure de constater par lui-même dans quel lamentable état de tension doit vivre l'individu qui se soustrait aux principes humains, tel le fait d'effectuer un travail honnête afin de subvenir à ses besoins et à ceux de sa famille par exemple.

Que dire aussi de tous ces «voleurs honnêtes» qui passent une partie de leur vie à tricher dans leurs déclarations d'impôts ou en effectuant certaines transactions commerciales? Ces individus, dont la conscience est lourdement chargée, parviennent difficilement à trouver le sommeil et ils sursautent à la moindre sonnerie du téléphone.

Tous ceux qui choisissent de mener une vie désordonnée et malhonnête, soit qui n'ont pas la conscience tranquille, ne manquent pas de subir de nombreuses tensions inutiles, lesquelles tensions leur sont souvent fatales. Observez qu'un visage tendu va toujours de pair avec une conscience lourdement chargée.

Il n'y a pas bien longtemps, un homme qui exerçait une profession honorable s'est fait prendre «la main dans le sac» comme on dit. Cet homme-là a subi tellement de tensions qu'il en est finalement mort quelques jours avant le prononcé de sa sentence.

Un mode de vie désordonné, en plus d'obliger un individu à devoir subir de nombreuses tensions inutiles, est presque toujours fatal pour celui qui choisit délibérément cette voie. Les dictateurs dépravés du passé ont tous connu une fin brutale. Hitler s'est suicidé, Mussolini a connu une fin brutale, les anciens dictateurs romains connurent une fin brutale, et la plupart des criminels de carrière connaissent une fin tragique et prématurée. Et pour les autres, ceux dont la fin n'est pas aussi brutale, leurs courtes années de vie sont remplies d'angoisses, de dépressions, de craintes, de divers maux physiques et mentaux, en somme, de toutes sortes de difficultés qui ne sont que les tristes fruits des tensions subies à la suite d'un mode de vie qui n'est pas harmonieusement ajusté avec la conscience.

L'être humain est ainsi fait. Chacun de nous avons ce merveilleux système d'alarme que nous nommons «conscience», lequel système fonctionne chaque fois que quelque chose ne va pas, parce que nous avons enfreint une loi harmonieuse de la vie. Que ce soit en volant, en mentant, en trichant, ou en enfreignant une loi quelconque de la vie, notre système d'alarme ne tarde pas à nous avertir, si toutefois il fonctionne encore. Et si nous ne faisons pas de cas de ce judicieux système d'alarme, de nombreuses tensions ne tardent pas à devenir notre lot quotidien. La conscience, soit ce signal qui s'«allume» aussitôt que quelque chose ne va pas, est donc un merveilleux processus qui devient une sauvegarde pour notre santé et même notre vie. Car si le fait d'enfreindre certaines lois de la vie, tel le fait de vivre dans un état d'immoralité constant par exemple, contribue à la génération de tensions, et que les tensions constituent un danger pour la santé et pour la vie, la conscience s'avère donc être un judicieux agencement qui peut rendre des services inestimables.

Mais pour qu'une conscience puisse, tout au long de la vie, rendre les services pour lesquels elle a été conçue, encore faut-il qu'elle soit bien éduquée. La conscience est un peu comme la pensée: il suffit de l'éduquer avec soin pour qu'elle soit toujours en état de bien fonctionner. Il est certain que quiconque ne fait pas de cas de sa conscience ne tardera pas à ne plus l'entendre lorsqu'elle lancera son signal d'alarme. La conscience de ce genre d'individu deviendra vite insensible, et finalement, c'est l'individu lui-même qui en souffrira tôt ou tard; étant donné que tôt ou tard, il faut rendre des comptes. Il ne faut jamais oublier que le salaire du péché n'a nul besoin d'être déclaré à l'impôt, l'avenir s'en chargera bien tôt ou tard; ceci, sans oublier les intérêts.

On peut illustrer ceci par l'exemple d'un automobiliste qui a développé la mauvaise habitude de «brûler» les feux rouges. A la longue, cet automobiliste en arrivera à croire qu'il est tout à fait «normal», pour lui, de ne pas tenir compte des feux rouges. Mais un jour, il payera la note; soit qu'il sera pris en flagrant délit par un policier, ou encore qu'il sera impliqué dans un grave accident qui pourra lui coûter la vie.

C'est exactement le même processus qui se déroule chez l'individu qui ne tient pas compte du cri de sa conscience lorsqu'elle l'avertit que quelque chose ne va pas dès l'instant qu'il enfreint une loi de la vie. A la longue, une telle personne en viendra à penser qu'il est tout à fait normal de voler parce que «tout le monde le fait», de mentir parce que «tout le monde le fait», de tromper son conjoint parce que c'est devenu «normal» de nos jours, et ainsi de suite. Mais tôt ou tard, cette personne devra, qu'elle le veuille ou non, payer chèrement la note. Et en plus de la honte publique, les ennuis conjugaux et familiaux, de nombreuses tensions, souvent mortelles, ne manqueront pas d'envahir cette personne. Combien de personnes, en proie à des tensions extrêmes, ont tout simplement décidé d'en finir une fois pour toute avec la vie. Les nombreux cas de suicide ont souvent une origine dans l'étroit rapport existant entre un mode de vie désordonné, soit une conscience trop chargée, et une accumulation de tensions qui deviennent finalement insupportables.

Si vous tenez à vous prémunir contre les nombreuses tensions inutiles et souvent excessives de la vie moderne, il vous faut absolument tenir compte de ce merveilleux système d'alarme qui est en vous, soit cet arrangement nommé «la conscience». Gardez toujours à l'esprit que la conscience s'éduque et peut devenir un outil vital pour quiconque tient à connaître la tranquillité d'esprit, une profonde paix intérieure, la pleine sécurité, et aussi à se prémunir contre les tensions inutiles et nuisibles de la vie moderne.

Il est certainement approprié de conclure ce chapitre par l'excellent conseil que consigna par écrit un sage roi de l'antiquité. Il s'agit du roi Salomon, lequel nous recommande, dans l'Ecclésiaste, de «craindre le vrai Dieu et de garder ses commandements. Car c'est là toute l'obligation de l'homme.» Et pourquoi importe-t-il d'obéir à ce commandement? Salomon répond à cette question en ajoutant que «le vrai Dieu lui-même fera venir en jugement toutes sortes d'oeuvres, concernant toute chose cachée, pour voir si elle est bonne ou mauvaise». Cet auteur inspiré avait sans doute de solides raisons d'écrire, dans l'un de ses Proverbes, que «Les justes (soit ceux qui ont un mode de vie harmonieux avec leur conscience bien éduquée) seront florissants comme le feuillage».

28

La personnalité secrète du coeur

«C'est de l'abondance du coeur que la bouche parle». Ce sont là les paroles du Maître que l'évangéliste Matthieu a pris soin de consigner par écrit dans le Livre des livres. Un autre disciple de ce Maître, Marc, a, pour sa part, cité ces autres paroles de Jésus: «Ce qui sort de l'homme, voilà ce qui souille l'homme; car c'est de l'intérieur du coeur des hommes que sortent les raisonnements mauvais; fornications, vols, meurtres, adultères, convoitises, actes de méchanceté, fourberie, inconduite et oeil envieux, blasphème, arrogance, déraison. Toutes ces choses méchantes sortent du dedans et souillent l'homme».

Il est certain que quiconque commet l'adultère, ment, vole et tue, cette personne-là ne peut faire autrement que s'attirer de nombreux ennuis. Et les ennuis, quels qu'ils soient, se transforment rapidement en tensions. Etant donné que la plupart des tensions proviennent des ennuis qu'a pu s'attirer un individu, et que la plupart de ces ennuis sont le résultat de ce qui se réalise dans le coeur de ce même individu, il importe donc de s'exercer à cultiver une nouvelle personnalité dans ce domaine, soit la nouvelle personnalité secrète du coeur. Il ne faut pas oublier ces paroles du Maître: «C'est de l'ABONDANCE DU COEUR que la bouche parle (et aussi du coeur que naissent la plupart des actions).» Si tout se joue dans le coeur symbolique, c'est donc là qu'il convient de cultiver un champ qui soit propice à la production de meilleures récoltes, soit des paroles et des actions qui aideront une personne à se prémunir contre de nombreuses tensions inutiles.

Comme on l'a déjà vu au chapitre 24 de ce livre, le coeur est ce «moi émotif» qui est alimenté et orienté selon le genre de nourriture mentale qu'il puise dans le champ fertile de la pensée. Si le champ de la pensée est constamment envahi de pensées d'inconduite, le coeur ne peut faire autrement qu'être orienté dans le même sens, et finalement, ce sont les paroles et les actions de tel individu qui seront immorales; ce qui, en retour, constituera une source d'ennuis et de tensions inutiles. Par contre, si le champ de la pensée est inondé de pensées pures et saines, le coeur, qui s'alimentera dans ces pensées, incitera un individu à parler et à agir dans le sens du coeur. Et dans ce dernier cas, il est peu probable qu'une telle personne puisse s'attirer des ennuis; ce qui, en retour, l'exemptera de nombreuses tensions inutiles.

Tout est donc étroitement relié avec ce qui pénètre dans le champ de la pensée, et c'est en surveillant ce qui pénètre dans ce champ qu'il est possible de cultiver la nouvelle personnalité secrète du coeur. Le champ de la pensée est un très vaste champ où peuvent se cultiver deux sortes d'arbres: les arbres qui sont producteurs de bons fruits, les fruits de l'esprit; et les arbres qui sont producteurs des fruits de la chair. Le coeur symbolique s'alimente aux uns ou aux autres de ces arbres, et les fruits, ou les paroles et les actions d'une personne, seront l'exacte réplique du genre de nourriture avec laquelle se sera alimenté le coeur.

Les fruits de la chair sont, d'après un célèbre prédicateur du premier siècle de notre ère, l'apôtre Paul: la fornication, l'impureté, l'idolâtrie, la pratique du spiritisme, les inimitiés, la querelle, la jalousie, les accès de colère, les disputes, les divisions, les sectes, les envies, les beuveries, les orgies, et autres choses semblables. Il est inutile de dire que quiconque pratique de telles choses ne peut faire autrement que s'attirer de nombreux ennuis, lesquels en retour se répercutent en d'innombrables tensions inutiles.

Les autres fruits, soit les fruits de l'esprit, sont, toujours d'après le célèbre apôtre Paul: «l'amour, la joie, la paix, la longanimité, la bienveillance, la bonté, la foi, la douceur, la maîtrise de soi». Et, d'ajouter Paul: «Contre de telles choses il n'y a pas de loi». Non, il n'y a pas de loi contre de telles actions bienfaisantes, car comment une personne, pratiquant ces belles actions, peut-elle s'attirer des ennuis? Et qui dit exempt d'ennuis dit aussi exempt de tensions. Nous voyons donc jusqu'à quel point le fait de cultiver la personnalité secrète du coeur peut s'avérer être un grand avantage pour quiconque tient à se prémunir contre les nombreuses tensions inutiles de la vie moderne.

Donc, étant donné que le coeur, ce traître «moi émotif» , s'alimente sans cesse aux arbres qui se cultivent et croissent dans le champ de la pensée, il importe donc, afin de s'assurer une récolte de bons fruits, soit la pratique de bonnes actions exemptes d'ennuis et de tensions inutiles, de bien vérifier afin que tout ce qui pénètre dans le champ de la pensée soit exempt de toute trace de contamination mentale.

Cultiver, dans le champ de la pensée, des arbres qui seront producteurs de bons fruits: voilà ce qui constitue une solide «assurance-tension» à quiconque tient à se prémunir contre les nombreuses tensions inutiles de notre siècle. Et c'est en procédant ainsi qu'il est possible de cultiver la meilleure personnalité qui soit: la personnalité secrète du coeur.

29

Ne vivez pas de pain seulement

Pour être en mesure de fonctionner en bonne santé, un organisme humain doit être alimenté par une nourriture qui soit à la fois saine, nutritive et profitable pour tout le corps. Un corps qui ne serait alimenté que par des friandises ou des aliments dénaturés ne pourrait espérer demeurer bien longtemps en bonne santé et serait vite incapable de remplir les diverses tâches pour lesquelles il a été conçu.

Il en va de même pour l'esprit. Comme nous en avons longuement parlé dans les chapitres précédents, ce qui alimente l'esprit nourrit le coeur; et les actions d'un individu, quel qu'il soit, sont guidées par ce qui fait l'objet de ses pensées constantes.

Malheureusement, il apparaît évident que la génération de notre époque met beaucoup plus l'accent sur une alimentation corporelle qui soit saine et nutritive que sur une alimentation mentale qui soit elle aussi saine, appropriée et nutritive pour l'esprit. Après que les éléments nutritifs sont tirés des aliments, ce qui en reste, soit les déchets, s'évacue dans les égouts. Mais il n'en est pas ainsi pour la nourriture mentale. Chaque fois qu'une pensée pénètre dans le champ de la pensée par l'un des cinq sens, elle s'incruste profondément dans l'une des cellules du cerveau et aucune force au monde ne peut l'en extirper. Et durant toute la vie d'un être, cette pensée sera à jamais présente afin d'alimenter le coeur; ce qui, en retour, constitue une menace constante pour le comportement d'un individu. Que dire d'une personne qui n'incruste que des «déchets» mentaux dans les cellules de son cerveau!

Lorsqu'on constate avec quel genre de nourriture mentale s'alimentent la plupart des esprits de notre génération, faut-il alors se surprendre de toute cette décadence morale qui prévaut à tous les échelons de notre société! On dit que lorsqu'il est en âge de fréquenter l'école maternelle, un jeune enfant a déjà été témoin, par l'entremise de la télévision, de plusieurs milliers de crimes. Faut-il alors se surprendre si, à l'âge de son adolescence, ce même enfant en arrivera à croire que la violence, la malhonnêteté et le meurtre sont des activités innées et «normales» de la nature humaine.

Il en est ainsi de toute cette décadence morale que l'on voit s'installer un peu partout. Faut-il se surprendre si de nombreux individus de notre génération en sont arrivés à penser, et même à croire que le vol, le mensonge, l'adultère, le divorce, l'homosexualité et la fornication sont des choses «normales» et qu'il convient de ne plus s'en offusquer.

Il importe de savoir et de comprendre que personne ne naît homosexuel, voleur, menteur, adultère, querelleur, meurtrier ou ivrogne. Ce sont là des fruits qui ne sont que le résultat du genre d'alimentation que le coeur a puisé dans les arbres qui sont cultivés dans le champ de la pensée. Et lorsque les pensées d'un invidivu sont constamment alimentées par des choses obscènes, des scènes de violence, ou par la mauvaise influence de compagnie néfaste, les arbres qui se cultivent et croissent dans le champ de sa pensée ne peuvent faire autrement que de produire, tôt ou tard, le genre de fruits énumérés plus haut: homosexualité, vol, adultère, mensonge, fornication, etc. Les personnes qui trouvent que de telles actions sont «normales» sont des êtres qui n'ont plus de conscience, car toute conscience suffisamment éduquée est en mesure de discerner si de telles actions sont normales, raisonnables ou innées à la nature humaine. On peut donc dire que le fait de ne pas surveiller son alimentation mentale peut avoir des effets désastreux sur le délicat processus de la conscience.

Est-ce sans raison que le plus grand prophète de tous les temps a déclaré que l'homme ne devait pas vivre uniquement de pain? Non, certainement pas; pour que la vie d'un individu soit exempte d'actions nuisibles et de tensions inutiles et néfastes, et que ce même individu puisse connaître une totale tranquillité d'esprit et un bonheur équilibré de tous les instants, il importe qu'il apprenne à alimenter son esprit avec une nourriture mentale qui soit à la fois saine et équilibrée. Et où trouve-t-on cette nourriture? On la trouve en s'alimentant mentalement de sujets sains et constructifs, lesquels influenceront tôt ou tard, et dans la bonne direction, les pensées et finalement les actions d'un être.

Il est sans doute bon de se distraire mentalement en lisant parfois des romans d'aventures ou en regardant certaines émissions télévisées à la fois distrayantes et amusantes, mais ne lire que des romans et regarder constamment la télévision n'est certainement pas là le genre de nourriture mentale qui soit approprié pour l'esprit. Agir ainsi est comparable au fait de ne manger que des friandises. S'il est agréable de savourer des friandises, c'est toutefois dans l'alimentation solide, saine et équilibrée que le corps peut espérer puiser les éléments nutritifs essentiels à son bon fonctionnement. Et tout ce qui est juste, raisonnable, approprié et équilibré pour l'organisme physique l'est aussi, sinon plus, pour l'esprit; ceci, étant donné que l'esprit est la «base» du corps et que ce dernier n'est que la continuité de l'esprit qui pense, raisonne et tire des conclusions. En alimentant son esprit avec une saine nourriture mentale, on se trouve ainsi à fournir au coeur des aliments nutritifs de bonne qualité; ce qui, en retour, ne peut faire autrement que de produire des fruits, soit des pensées et des actions qui seront aussi de bonne qualité.

Vous voulez vous prémunir contre les tensions nuisibles et inutiles de la vie moderne? Alors, cultivez la bonne et sage habitude de n'alimenter votre esprit qu'avec des aliments mentaux qui soient sains et nourrissants; lesquels, en retour, ne manqueront pas d'orienter vos pensées, votre coeur, vos paroles et vos actions dans des voies qui vous assureront une totale tranquillité d'esprit et un profond calme intérieur.

30

Donnez un sens spirituel
à votre vie

S'il est juste de prétendre qu'une certaine aisance matérielle puisse contribuer à rendre la vie un peu plus douce et agréable à vivre, il n'en est pas moins vrai que le côté matériel de la vie, à lui seul, ne suffit pas à faire en sorte qu'une vie soit pleinement heureuse et exempte de toute tension. Il suffit, pour se rendre compte de ceci, de constater dans quel lamentable état de tensions vivent de nombreux individus qui habitent les pays les plus à l'aise de notre globe.

Que dire des milliers de tonnes de sédatifs, de somnifères, de comprimés contre les migraines, les digestifs et laxatifs de tout genre qui sont absorbés chaque année par les gens des pays riches. Que dire aussi des milliards de cigarettes qui sont fumées annuellement par une armée sans cesse grandissante d'êtres tendus qui recherchent, dans ce genre de palliatif, le moyen de «masquer» leurs problèmes de tension. Ce ne sont là que quelques faits qui démontrent que le côté matériel de la vie ne suffit pas, à lui seul, à combler tous les besoins de l'être humain.

«L'amour de l'argent (et des biens matériels en général) est la racine de toutes sortes de choses mauvaises, et certains, en aspirant à cet amour, se sont transpercés partout de beaucoup de douleurs.» Commentant ces paroles de l'apôtre Paul, le périodique «La Tour de Garde», dans son édition du 1er février 1979, appuya toute la véracité de cette déclaration par un exemple qui nous vient de l'Etat de la Californie aux Etats-Unis: «Dans cette région, de mentionner l'article qui traite du sujet, les revenus sont très élevés, les habitations sont grandes et coûteuses, l'environnement naturel magnifique, et les gens jouissent de toutes les commodités techniques et de tous les divertissements que l'argent peut procurer, ainsi que de longs moments de loisir. Pourtant, d'enchaîner le périodique, c'est dans ce comté que le taux de divorces est le plus élevé des Etats-Unis; environ 90 pour cent de toutes les transactions immobilières effectuées dans certaines régions de ce comté sont le résultat de mariages brisés. On y compte deux fois plus de suicides que la moyenne nationale. Le taux d'alcoolisme est l'un des plus élevés de la nation, et, chez les adolescents, ce problème a pris des proportions considérables. Encore une preuve que l'argent (à lui seul) ne fait pas le bonheur, d'ajouter la «Tour de Garde»: il y a, dans ce comté, davantage de psychiatres et d'autres spécialistes des troubles mentaux par habitant que dans n'importe quel autre région des Etats-Unis.» Et cet article fort révélateur se termine par cette phrase pleine de logique: «Bien entendu, la pauvreté non plus ne procure pas le bonheur. Il était donc logique que l'écrivain biblique demandât: «Ne me donne ni pauvreté, ni richesse.»

Lorsqu'une existence est uniquement orientée vers l'aspect matériel, qu'arrive-t-il une fois que les possessions matérielles viennent à manquer; ou encore quand ces possessions matérielles disparaissent à la suite de divers hasards toujours possibles, tels que l'inflation, la faillite, le vol, la perte, la guerre, le chômage, la disparition par la mort du principal soutien de la famille, ou tout autre hasard? Combien de personnes ont sombré dans un état de profond découragement et ont ainsi subi de nombreuses tensions à la suite de la perte de leurs possessions matérielles.

Si le côté matériel de la vie suffisait à lui seul à combler tous les besoins de l'être humain, alors pourquoi tous ces découragements, ces foyers brisés, ces inimitiés, ces suicides, et toutes ces tensions que nous constatons et qui sont le lot quotidien d'innombrables personnes pourtant à l'aise matériellement?

Durant la grande crise de l'entre-deux-guerres, un milliardaire, qui venait de perdre subitement une soixantaine de millions de dollars, se suicida en se jetant dans le vide du vingtième étage d'un édifice, tellement sa tension et son découragement étaient intenses à la suite d'une telle perte. Après un relevé du bilan du disparu, les héritiers de cet homme matérialiste purent se partager une somme rondelette de plus de deux millions de dollars. On peut dire que l'esprit matérialiste de cet homme le tua. Les sages paroles de Paul ne sont donc pas dénuées de sens: «L'amour de l'argent est la racine de toutes sortes de choses mauvaises; et certains, en aspirant à cet amour, se sont TRANSPERCES partout de beaucoup de douleurs.» Cet homme, mentionné plus haut, ayant mis tous ses espoirs dans le «dieu argent», ne trouva pas d'autres solutions, dès qu'il vit son dieu s'effondrer, que d'en finir avec la vie. Quelle absurdité!

Oui, c'est ainsi! Le seul fait de posséder des biens matériels ne suffit pas, et n'a jamais suffi d'ailleurs, à donner un tel sens à une vie pour que celle-ci, par le fait des seules ressources matériel- les, puisse être pleinement heureuse et digne d'être vécue. Notre génération, oui la nôtre, dont les «pauvres» des pays riches ne sont quand même pas dans la grande misère, nous convainc de la véracité de ce fait; car jamais une génération d'individus comme la nôtre n'a connue autant de problèmes ayant un rapport étroit avec les perturbations émotives et mentales, perturbations qui sont le triste résultat de tant de tensions inu- tiles.

Que signifie le fait de donner un sens spirituel à sa vie? Donner un sens spirituel à son existence signifie qu'il importe de combler un besoin chez soi, besoin qui est aussi impérieux que celui de boire, de manger, de dormir, de travailler et de rire. Ce besoin doit être comblé chez toutes les créatures qui sont en mesure d'user de leur faculté de raisonner. Ce besoin n'existe pas chez les animaux, lesquels ne peuvent pas raisonner ni tirer des conclusions logiques concernant tel fait ou telle question. Les animaux, eux, sont dotés d'un instinct, ce qui les incite à se laisser dominer par les besoins physiologiques de leur corps: combler le besoin de manger, de dormir, de se battre, de se reproduire, etc.

Mais il n'en est pas ainsi de l'être humain. Le seul fait que nous soyons en mesure de penser, de réfléchir et de raisonner est là une preuve que nous sommes bel et bien dotés d'un sens spirituel. Et comme il importe de pourvoir aux besoins physiques du corps, il est aussi essentiel et nécessaire de combler notre besoin spirituel par des choses spirituelles; et ce besoin ne peut être comblé qu'en se rattachant à l'Esprit de sagesse et d'intelligence infinie qui préside intelligemment et avec amour sur tout notre univers.

Il importe de comprendre que notre besoin spirituel n'est pas le même que le besoin mental. On peut combler notre besoin mental en absorbant notre esprit dans toutes sortes d'activités mentales. Cependant, on ne peut combler notre besoin spirituel qu'en se «combinant» avec la Source de toute la spiritualité; un peu comme un enfant qui cherche son père afin de se rallier à lui.

La Bible est le seul livre qui puisse vraiment combler les besoins spirituels de l'être humain. Cet excellent guide n'est pas autre chose que le produit fidèle de l'esprit de l'Auteur de nos jours. Nous ayant créés entièrement, cet Auteur savait exactement ce qui nous convenait le mieux afin de nous permettre de demeurer calmes, équilibrés, ceci, tout en accomplissant pleinement et heureusement notre vie. Et à travers les âges, soit le déroulement du temps, Dieu a inspiré des hommes choisis afin qu'ils puissent rédiger fidèlement sa pensée. Donc, en puisant à satiété dans ce merveilleux guide qu'est la Bible, nous ne pouvons faire autrement que nous relier directement avec l'Auteur de notre vie. Et qui serait le mieux placé, sinon notre Créateur lui-même, pour nous dicter une ligne de conduite qui soit à la fois sage équilibrée, harmonieuse et en tout point adaptée à notre vie même de chaque instant?

Il n'est pas question ici de vous donner un cours sur la religion, ni non plus de vous amener à adopter une nouvelle doctrine. Etant donné que la Bible ne renferme pas que des instructions en rapport avec le genre de culte que Dieu agrée, elle contient aussi d'innombrables conseils pratiques qui sont applicables en tout temps, dans quelque domaine que ce soit de la vie. De ce fait, sans entrer dans le domaine de la religion, il n'est pas exagéré d'affirmer que la Bible a toujours été, est, et sera toujours le meilleur guide de vie saine, calme, équilibrée et harmonieuse pour l'être humain. La Bible touche TOUS les aspects de la vie humaine, et lorsqu'étant sagement appliqués, les principes et préceptes qu'elle renferme en font le «Guide d'instructions» par excellence.

Avez-vous remarqué comment un fabricant d'automobiles prend le soin de joindre un guide d'instructions à chacun des véhicules qu'il construit? Grâce à cette sorte de guide, un acheteur est donc équipé afin de jouir pleinement de son acquisition le plus longtemps possible. Il en est de même pour les fours électroniques, les machines à coudre et les ordinateurs. Etant donné que les fabricants de toutes ces machines prennent le soin de joindre un petit guide d'instructions à chacune d'elle, les acquéreurs de ces machines ne se trouvent donc pas démunis s'il venait à se produire une difficulté quelconque.

S'il est logique, essentiel même, de s'attendre à ce qu'un manuel d'instructions accompagne une machine, ou un outil quelconque qu'on se procure dans un magasin, ne serait-il pas aussi logique de s'attendre à ce que Dieu, notre Créateur, nous ait nous aussi dotés d'un manuel d'instructions; ceci, afin de nous permettre de «bien fonctionner» et aussi afin de pouvoir résoudre nos nombreux petits problèmes quotidiens au fur et à mesure qu'ils se présentent? Lorsqu'on compare un être humain à une cuisinière électrique, une automobile ou un ordinateur, on ne tarde pas à comprendre que l'être humain, lui, est une «machine» beaucoup plus complexe qu'un simple amas de matériaux et de fils inanimés.

L'être humain a été créé avec le besoin inné de spiritualité, et ce besoin inné ne peut être comblé vraiment qu'en se reliant à la SEULE source de VRAIE spiritualité qui soit, soit la Bible elle-même. Plus nous puisons et nous abreuvons à même cette merveilleuse source de spiritualité, profonde et inépuisable, plus nous nous approchons de notre Auteur, notre Créateur; et plus nous nous approchons de Dieu lui-même, de sa pensée, plus nous nous améliorons; et plus nous nous améliorons, plus nous devenons équilibrés dans notre façon de penser et de percevoir la vie dans son ensemble, et nous harmonisons dans nos décisions et l'accomplissement de nos gestes quotidiens; finalement, plus l'être s'équilibre et s'harmonise, plus grands sont la paix et le calme qui règnent entre lui et Dieu, entre lui et la nature, et entre lui et lui-même et tous ses semblables. En somme, ce n'est qu'en nous «ajustant» complètement et parfaitement avec les sages préceptes divins renfermés dans la Bible qu'il nous est enfin possible d'équilibrer et d'harmoniser TOUT notre être, que ce soit au niveau de la pensée, des raisonnements, des décisions, des émotions, des affections, ou même du physique; ou encore, qu'il s'agisse de questions d'ordre personnel, conjugal, familial, social, commercial, ou autres. TOUT, absolument TOUT ce qui est UTILE pour l'être humain est renfermé dans la Bible. Tout ce qui peut contribuer à notre calme et harmonie pour notre vie de tous les jours, actuelle et éternelle, est renfermé dans ce Guide unique et divin.

Cultiver et augmenter sa spiritualité en se nourrissant régulièrement du contenu de la Bible n'est pas laissé à notre seule discrétion, comme bon nous semble. Nous n'avons qu'à constater les états lamentables, les soucis et tensions de toutes sortes qui prévalent chez les êtres qui ne tiennent pas compte des justes préceptes issus de la Bible pour finalement réaliser les tristes conséquences découlant de la négligence d'agir dans ce domaine. Se «nourrir» du contenu de la Bible est une NECESSITE pour l'être désireux de se rallier d'abord à son Créateur, s'équilibrer avec lui-même, s'harmoniser avec ses semblables, la nature et la vie ensuite; et, finalement, se prémunir solidement contre les nombreuses tensions inutiles et nuisibles qui sont le lot quotidien de tous ceux et celles qui ne se soucient absolument pas de donner un sens spirituel à leur vie.

Il importe de toujours garder bien présent à l'esprit que l'être humain est bien différent des animaux. L'animal n'a pas besoin de spiritualité, ni n'a à se soucier de combler ses besoins dans ce domaine pour la raison qu'il n'a pas été, lui, créé à l'image et à la ressemblance de Dieu. Mais étant donné que nous, les êtres humains, sommes le reflet fidèle, mais en plus petit, de notre Créateur, soit que nous sommes dotés des merveilleux attributs divins que sont l'Amour, la Justice, la Puissance et la Sagesse, sans non plus oublier les facultés fantastiques qui consistent à penser, raisonner et tirer des conclusions, nous devons donc, de ce fait, demeurer sans cesse dans les bonnes relations nous unissant à l'Auteur de nos jours; ceci, afin de nous permettre de toujours refléter fidèlement les grands attributs de Celui-ci.

Et ces relations constantes ne peuvent être rendues possibles que grâce à cet inestimable canal de communication qu'est la Bible.

L'être qui ne se soucie pas de donner un sens spirituel à sa vie ne voit pas la moindre importance d'entretenir des relations étroites et continues avec son Créateur. Et à la longue, cet être-là en vient finalement à adopter un mode de vie qui n'est guère différent de celui des animaux; c'est-à-dire que cet être-là ne voit pas d'autres buts dans sa vie que ceux consistant à travailler pour gagner sa vie, manger pour se remplir l'estomac, se reproduire exclusivement par plaisir ou besoin physique, dormir pour se reposer et se battre quand cela devient nécessaire. Bien plus, quiconque ne voit pas l'utilité de donner un sens spirituel à sa vie en viendra à la longue à penser, puis à croire qu'il peut s'abandonner à l'assouvissement de ses moindres passions, si bestiales soient-elles. Mais justement, l'être humain n'est pas du domaine animal. Il est doté, partiellement, des merveilleux attributs divins, et de ce fait, il se doit d'honorer son Créateur, soit de vivre comme une créature faite à «l'image et à la ressemblance de Dieu», et non comme un animal.

Le monde animal est, lui, satisfait, si l'on peut s'exprimer ainsi, du seul fait de satisfaire ses besoins instinctifs; de plus, aucune bête n'éprouve de remord quelconque à la suite de la commission d'un acte répréhensible, soit le «meurtre» de l'un de ses semblables par exemple. La lionne qui étrangle et tue de sang froid la jeune antilope, le taureau qui encorne mortellement, le cheval qui piétine son cavalier, le chien enragé qui étrangle le jeune enfant, le serpent venimeux qui pique mortellement la main de l'intrus, tous ces animaux-là n'éprouvent aucun remord du fait d'avoir commis ces actes qui sont pourtant des plus répréhensibles. Mais au niveau humain, la commission de tels actes constitue des délits graves qui impliquent qu'un châtiment mérité soit attribué à leurs auteurs.

De plus, l'être humain qui commet l'un ou l'autre de ces actes devient finalement la proie de nombreuses tensions nuisibles étant donné que l'être humain est aussi doté de ce fantastique «signal d'alarme» appelé la Conscience. Le criminel qui tue devient nerveux et tendu à l'extrême, le mari infidèle devient tendu lui aussi, le voleur perd le sommeil, le menteur ne peut plus regarder son semblable en face; en somme, tous ces gens qui s'adonnent à la pratique de quelque acte répréhensible que ce soit «perdent le sommeil», deviennent «de plus en plus nerveux», sont souvent «tendus à l'extrême» justement à cause de l'action de leur conscience qui a «déclenché» un signal d'alarme afin d'indiquer à l'être responsable que quelque chose de travers se passe en lui.

Mais l'être qui plonge constamment les regards dans la juste loi de Dieu et qui se laisse sagement influencer par l'esprit de l'Auteur de ce puissant Guide ne peut faire autrement qu'être solidement prémuni contre d'innombrables tensions inutiles, étant donné que cet être-là, qui «obéit à Dieu», s'améliore sans cesse un peu plus chaque jour, soit au même rythme que sa spiritualité s'accroît. Donc, tout s'enchaîne harmonieusement et parfaitement.

L'homme ou la femme qui donne un sens spirituel à sa vie en se nourrissant du contenu biblique se spiritualise sans cesse; en se spiritualisant, il se rapproche un peu plus de Dieu à chaque jour; devenant de plus en plus intime avec le Père, il cultive ainsi un profond amour envers Celui-ci; et comment un être qui aime profondément son Père pourrait-il cultiver même une pensée qui irait à l'encontre des justes et sages préceptes de ce Père? Finalement, l'être spirituel devient plus équilibré, s'harmonise avec la vie, la nature et ses semblables; et en même temps qu'il voit croître sa foi et qu'il élargit sa vision même de la vie au point de la contempler jusque dans l'éternité, cet être-là, donc, ne peut faire autrement qu'être solidement prémuni contre le flot incessant des innombrables soucis et tensions inutiles et nuisibles qui sont le lot quotidien des êtres dépourvus d'amour divin et qui sont sans foi.

En inspirant ce magnifique guide qu'est la Bible, Dieu n'avait qu'un seul dessein, soit notre bonheur présent et futur. Et comme le bonheur va toujours de pair avec le calme, la tranquillité de l'esprit, l'équilibre et l'harmonie, on peut donc affirmer que la Bible est, sans contredit, le guide de calme, de paix intérieure et d'équilibre par excellence. Et, comme le soulignait récemment un orateur chevronné, il suffirait que tous les êtres soucieux, nerveux et tendus de notre époque se mettent à donner un sens spirituel à leur vie, soit en se nourrissant quotidiennement du contenu biblique, pour finalement voir plus de quatre-vingt-dix pour cent de leurs problèmes quotidiens disparaître, comme par enchantement.

31

Nourrissez votre foi et vos doutes mourront de faim

«Va! qu'il t'advienne selon ta foi!» Telle fut la réponse que donna Jésus à un certain officier qui lui demandait avec insistance de venir guérir son serviteur, lequel était horriblement tourmenté à la suite d'atteinte de paralysie. L'évangéliste Mathieu, qui relata le récit de cet événement, ajoute ce qui suit: «Et à cette heure-là, le serviteur fut guéri...» La foi de cet officier était vraiment ferme et profonde, et il lui advint exactement selon le degré de sa foi dans le pouvoir surnaturel que possédait Jésus, c'est-à-dire que son serviteur fut complètement guéri.

«Avec la foi gros comme un grain de moutarde, rien ne vous sera impossible», de déclarer Jésus à une autre occasion, alors que ses disciples étaient remplis de doutes et qu'ils manquaient de foi envers le pouvoir de guérir que leur avait transmis leur Maître.

Que de problèmes et de tensions inutiles surviennent à cause du manque de foi de l'immense majorité des individus de notre génération. Telle personne hésitera à entreprendre tel projet parce qu'elle doute de sa capacité de réussir ainsi que du résultat final et des moyens de parvenir à la réussite. Telle autre passera toute une nuit sans dormir à se tourmenter parce qu'elle doutera que sa situation financière puisse enfin s'améliorer. Une autre encore se fera constamment du souci parce qu'elle doutera de la fidélité de son conjoint et de la sincérité de ses amis. Et combien d'individus passent ainsi toute leur vie à se tourmenter et à critiquer tout simplement parce qu'ils ne cessent de douter de la bonne foi de leurs semblables et des mobiles d'autrui. Oui! que de tourments et de tensions inutiles sont subis et endurés par tous les êtres sans foi et qui doutent de notre époque.

On ne naît pas avec la foi. La foi est comme un muscle; plus on l'exerce, plus elle se renforce. La foi est aussi un fruit de l'esprit, et le degré de foi d'un individu est toujours proportionnel au genre d'ingrédients avec lesquels il arrose les arbres qui croissent à l'intérieur du champ de sa pensée.

On nourrit sa foi en s'exerçant à cultiver certaines attitudes d'esprit telles que la confiance en son Créateur, en autrui, en son conjoint, en ses enfants, en la vie, en l'avenir; en somme, la foi se cultive en s'exerçant à être confiant que tout ira pour le mieux dans la vie de tous les jours.

Il n'est rien de pire que les doutes. Ce n'est **pas sans** raison que l'on dise que les doutes sont traîtres et qu'ils ruinent toute espèce d'ambition chez l'individu qui se laisse prendre dans leurs pièges. On peut même ajouter que les doutes peuvent ruiner toute une vie, et même un être, à cause des innombrables tensions qu'ils engendrent. Les doutes font aussi perdre un temps très précieux à quiconque se laisse envahir par eux.

Dans un monde comme le nôtre, où tout est rapidité et changement, l'homme et la femme de la réussite sont ceux qui sont remplis d'une foi profonde et qui ne se laissent pas ébranler facilement par les doutes. La vie actuelle n'a vraiment que faire des êtres indécis qui perdent tout leur temps à tourner en rond avant de prendre une décision quelconque. En somme, les gens qui doutent de tout doivent absolument changer leur attitude s'ils veulent devenir des vainqueurs et non des perpétuels vaincus.

Au lieu de perdre un temps précieux à force de douter, consacrez plutôt votre temps et vos énergies à nourrir votre foi, c'est-à-dire à vous pénétrer de cet esprit de confiance absolue que possédaient les individus de foi du passé, hommes et femmes: soit la foi en Dieu, la foi en eux et en leur propre valeur en tant qu'êtres humains, la foi que leurs convictions valaient la peine d'être défendues. C'est ainsi que le prophète Daniel se laissa jeter dans une fosse aux lions plutôt que de faire un seul compromis envers ses convictions religieuses. C'est aussi ainsi que trois jeunes

Hébreux préférèrent être jetés dans une fournaise de feu ardente plutôt que de briser un seul principe de l'enseignement religieux qu'ils avaient reçu, soit en refusant de s'agenouiller devant la statue du roi de Babylone, Nabuchodonosor. Lisez le récit de la vie de ces quelques hommes de foi du passé et vous constaterez jusqu'à quel point leur foi profonde ne fut pas vaine dans leur cas et qu'elle fut plutôt largement récompensée.

Regardez autour de vous et observez attentivement les individus imbibés d'une foi profonde, d'une foi qui leur permet de «déplacer des montagnes», soit d'affronter les pires obstacles de la vie quotidienne. Remarquez avec quel calme, quelle assurance et tranquillité d'esprit ces gens de foi traversent la vie sans jamais se laisser ébranler par des difficultés telles que la pauvreté, la maladie, ou tout autre obstacle qui sont leur lot et qui sont hors de leur contrôle. C'est par la fréquentation de tels individus de foi qu'il vous sera possible de nourrir votre foi.

Oui, exercez-vous à cultiver une profonde confiance en Dieu, en vous-même, en votre prochain et en la vie; prenez le temps de bien examiner les nombreux récits des gens de foi du passé; et aussi, complaisez-vous dans la fréquentation des êtres de foi de notre époque. C'est en agissant ainsi que, finalement, vous parviendrez à nourrir votre foi à un point tel que quel que soit l'obstacle qui viendra vous frapper de plein fouet, vos doutes et votre manque de confiance s'estomperont pour finalement céder la place à cette foi profonde qui vous permettra de continuer de demeurer calme, tranquille, joyeux et heureux malgré tous les obstacles que la vie tient en réserve pour la formation des vainqueurs. Nourrissez convenablement votre foi, et comme par enchantement, voyez tous vos doutes mourir de faim!

32

Ayez une juste opinion de vous-même: cessez donc de vous prendre au sérieux!

Un auteur, Dale Carnegie, a écrit, dans l'un de ses ouvrages, que la seule chose qui distingue un être humain d'un chimpanzé, ce n'est qu'un peu d'iode, soit la pesanteur d'un timbre-poste, dans la glande thyroïde. Le même auteur a aussi écrit, avec une certaine pointe d'humour, que la seule raison pour laquelle nous, les humains, ne sommes pas des serpents pythons, c'est uniquement parce que nos parents étaient des êtres humains et non des serpents pythons.

Il est certain que l'être humain a de quoi se glorifier en constatant qu'il est le chef-d'oeuvre de la création de Dieu. Quand on songe à toutes ces merveilles qui constituent notre corps, on ne peut qu'être émerveillé de tant de prodiges. Que dire de notre cerveau, notre faculté de raisonner, de penser, de tirer des conclusions, de faire des plans, etc.! Ce sont tous des mécanismes merveilleux dont les animaux d'espèces différentes de la nôtre ne sont pas dotés.

Mais malgré cet agencement merveilleux qui est nôtre, il importe, afin de continuer d'être raisonnablement heureux, de ne pas trop se prendre au sérieux. Le seul fait d'être des créatures intelligentes, dotées des facultés de penser et de raisonner, ne signifie pas que rien de plus haut, de plus complexe et de plus merveilleux ne puisse nous dépasser. Si, en-dessous de nous, il y a des natures qui nous sont inférieures, telles la nature animale, la nature végétale et la nature minérale, il ne faudrait pas oublier qu'au-dessus de nous, d'autres natures nous sont bien supérieures et nous dépassent de beaucoup en intelligence, en puissance et en sagesse; il s'agit des créatures de nature angélique et divine. Le fait de comprendre que nous appartenons à une nature qui nous est propre, soit la nature humaine, et surtout, de comprendre que s'il y a des natures qui nous sont inférieures, il y en a d'autres par contre qui nous sont supérieures, cette compréhension nous évitera de trop nous prendre au sérieux et finalement, de nous laisser prendre au piège de l'orgueil en pensant que plus rien de sage et d'intelligent n'existe hors de nous, les humains. Si, durant notre siècle, nous avons réussi à envoyer des engins qui évoluent autour de notre planète, il ne faut pas oublier que bien avant notre naissance, et même avant la création de l'homme et de la femme, des milliards de planètes évoluaient dans l'espace.

Non, nous n'avons absolument rien inventé durant notre siècle de la science. Nous n'avons fait que DECOUVRIR des choses qui existaient mais que notre intelligence limitée nous empêchait de comprendre. La loi de la relativité existait bien avant qu'un savant humain s'aperçoive de sa présence. L'atome existait bien avant qu'un savant ne comprenne son processus.

Des créatures ailées volaient sur notre globe bien avant que des inventeurs humains comprennent comment il était possible de faire voler des avions ou tout autre engin autour de notre planète. Il y a toute une différence entre le fait de «créer» et d'«inventer» d'une part; et le fait de «découvrir» et de «comprendre» d'autre part. Aucun savant n'a créé quoi que ce soit. Nos hommes les plus intelligents n'ont fait que découvrir et mieux comprendre. Et même si nous avons conçu des machines complexes, c'est toujours avec le précieux concours de matériaux existant déjà que les plus prestigieuses réalisations furent rendu possibles.

Les flocons de neige, tous différents les uns des autres, nous émerveillent par leurs différentes formes et leur beauté. La formation d'un enfant, à partir de l'union de deux minuscules cellules, ne cesse d'émerveiller les plus grands chercheurs et savants de notre époque. La façon dont les fruits et les légumes se développent, à partir d'une simple graine enfouie dans le sol est encore un miracle qui ne cesse de nous convaincre de notre petitesse et de la limitation de notre pouvoir créateur. Il y a tant de choses qui nous dépassent que le simple fait d'y penser ne peut faire autrement que nous inciter à demeurer à notre place, c'est-à-dire des créatures humaines limitées; et aussi, à nous empêcher de nous prendre trop au sérieux.

Et même au sein de notre espèce, nous devons humblement reconnaître que nous sommes tous différents les uns des autres et qu'en rien sommes-nous supérieurs à notre semblable. Quels que soient nos dons, nos aptitudes et nos qualités, nous devons humblement admettre que nous n'excellons pas en tout, et si nous sommes supérieurs à notre prochain dans un domaine, tous les autres êtres de notre espèce nous sont supérieurs dans d'autres domaines. Peut-être êtes-vous un habile mécanicien? Si c'est votre cas, vous devez admettre humblement et honnête-ment que d'autres personnes peuvent être plus habiles que vous en musique. Si vous êtes habile dans l'art de coudre, vous devez humblement admettre qu'en ce qui concerne l'art de faire à manger, d'autres personnes peuvent vous dépas-ser. Oui, dans quelque domaine que ce soit, sachez bien que si vous excellez dans un art quelconque, d'autres individus par contre peuvent exceller dans d'autres arts.

Et c'est vraiment excellent qu'il en soit ainsi. Tous les êtres humains doivent se considérer comme des parties d'un corps. Comme il y a de nombreuses parties dans un corps et que toutes accomplissent un travail essentiel qui leur est propre, on ne peut donc pas prétendre que certaines parties soient supérieures ou inférieures à d'autres. Pensez à votre propre corps et essayez de déterminer quelle est la partie la plus importante, ou encore celle qui est supérieure aux autres. Si vous dites que c'est le coeur, alors que dire du sang, du cerveau, de l'oeil? Et si vous prétendez que c'est le sang qui est supérieur, alors que dire des reins dont le sang ne peut pas être filtré sans leur précieux concours? Si vous dites que c'est le cerveau, alors que peut faire un cerveau sans des jambes et des pieds qui lui permettent de se transporter afin d'acquérir des connaissances nouvelles par le moyen des cinq sens? Oui, pensez bien à toutes les parties de votre corps et vous constaterez jusqu'à quel point il est difficile de déterminer, avec précision et justice, laquelle, parmi les milliers de parties de votre organisme, est celle qui est supérieure à toutes les autres.

TOUTES les parties de votre corps sont importantes et TOUTES unissent leurs efforts afin de permettre à votre organisme de bien fonctionner. Bien prétentieux serait celui qui parviendrait à déterminer, sans erreur possible, qu'une partie du corps est supérieure aux autres. Votre système intestinal n'est peut-être que le vidangeur de votre organisme, mais qu'il cesse subitement son activité et vous ne vivrez pas longtemps. Pensez donc à votre corps la prochaine fois que vous serez tenté de vous croire supérieur ou inférieur aux autres.

Les parties du corps humain n'ont pas choisi leur place. Elles sont bien différentes les unes des autres, mais toutes ensemble, grâce à leurs efforts conjugués, elles accomplissent un excellent travail. Les yeux permettent de lire un livre; l'esprit, la faculté de penser et le cerveau permettent de raisonner et d'emmagasiner des connaissances; et finalement, la mémoire, les doigts et les muscles permettent d'écrire des livres. Des milliers de parties unissent donc leurs efforts pour aboutir à un produit fini: un livre.

Il en est exactement de même de tous les êtres humains qui sont membres de la grande famille humaine. Afin d'assurer l'accomplissement d'un produit fini, soit la réalisation d'une vie qui soit à la fois heureuse, harmonieuse et joyeusement vécue, il faut le concours de TOUS les êtres de l'espèce humaine. Ni un avocat, ni un juge, ni un médecin, ni un électricien, ni un député, ni un écrivain, ni un imprimeur, ni un vidangeur, ni un plombier, ni un pilote d'avion, ni qui que ce soit ne doit se prendre au sérieux au point de se considérer comme supérieur à autrui. TOUS les êtres humains doivent se considérer comme des membres utiles qui effectuent un travail utile pour le bon fonctionnement de l'ensemble de la communauté et aucun être humain ne doit se considérer comme «complet» par lui-même. Tout être humain a un besoin essentiel des autres. Un juge ne serait pas juge s'il n'y avait pas d'affaires à juger et un médecin ne serait pas médecin s'il n'y avait pas de gens malades qui font appel à ses services.

Si vous êtes notaire, juge ou ministre; un roi, une personne riche ou une grande vedette, quelle gloire avez-vous qu'un menuisier, un plombier ou un vidangeur n'ont pas? S'il n'y avait pas d'ouvriers pour construire des habitations et d'autres pour faire la cueillette des déchets, à quoi vous servirait toute votre gloire ou votre richesse?

Si vous êtes une femme, et que vous soyez belle, mince, grande, en bonne santé, quelle gloire pouvez-vous retirer de tout ceci? Aucune, étant donné qu'en ce qui concerne votre constitution physique, vous n'y êtes absolument pour rien; elle a été conçue bien avant que vous n'ayez commencé à marcher, à voir et même à naître.

Pourquoi vivre constamment sous tension parce que vous êtes pauvre, que votre corps n'est pas parfait, que vous n'exercez pas le métier rêvé, que vous n'habitez pas dans un pays où le climat est meilleur, que vous n'êtes pas vêtu à la dernière mode, que vous êtes trop gros, trop grasse, trop petite, trop maigre, trop grande, etc. etc.? Oui, pourquoi vous tracasser inutilement pour des choses dont vous n'êtes absolument pas responsable? Si vous êtes de constitution un peu plus forte que votre voisine, pourquoi vous faire du souci à vous en rendre malade parce que vous n'êtes pas comme votre voisine qui est, elle, un peu plus grande et un peu plus mince que vous? Si vous ne cessez pas de vous tracasser pour de telles choses, vous ne tarderez pas à sombrer dans une profonde dépression nerveuse. N'oubliez jamais que le corps humain, en lui-même, n'est pas autre chose qu'une toute petite pincée de sels miné-raux. Et comme le dit si bien Paul dans une de ses lettres: «La chair ne sert à rien du tout; c'est l'esprit qui est vivifiant.» Le corps de chair n'est que la continuité du domaine spirituel, et au lieu de perdre un temps précieux devant le miroir à vous examiner, oeuvrez donc dans un domaine où toutes vos actions vous seront avantageuses, soit dans le royaume de votre pensée.

Observez bien les créatures de la race canine. Avez-vous déjà remarqué comme les chiens sont bien différents les uns des autres? Il y a des chiens qui sont gros, d'autres qui sont grands, d'autres qui sont petits, d'autres qui ont les pattes courtes, et d'autres, par contre, qui ont des pattes plus longues. On nomme certains chiens «chiens-saucisse»; d'autres, «chiens de poche»; d'autres, «chiens saint-bernard»; et combien d'autres noms donne-t-on aux chiens. Quand avez-vous vu un chien être tendu, nerveux et se faire constamment du souci parce qu'il se considérait comme trop petit, trop grand, trop maigre, trop gros, ou trop n'importe quoi? Ou quand avez-vous vu un chien se lamenter parce que son poil était noir, jaune, blanc ou rouge? Peut-être nous faudra-t-il devenir inconscients comme les animaux pour enfin vivre pleinement notre vie, nous, pauvres humains intelligents et soucieux que nous sommes.

Afin de se prémunir contre les nombreuses tensions inutiles et nuisibles de la vie, il importe de cesser de se prendre trop au sérieux et d'apprendre à s'ACCEPTER tel que l'on est. Quand un homme décide de se marier et qu'il se cherche une compagne, la couleur des yeux, des cheveux, la grandeur, le statut social, la pesanteur, tout cela a bien peu d'importance quand il a enfin trouvé la compagne qui correspond pleinement à son idéal. Pourquoi? Tout simplement parce que la personnalité secrète et cachée du coeur a infiniment plus de valeur que quelques centimètres de hauteur, quelques kilos de pesanteur ou quelques dollars en banque.

Encore une fois, cessez donc de vous tracasser pour des choses qui ne sont pas de votre ressort et apprenez à vous ACCEPTER tel que vous êtes. Chaque fois que vous vous regarderez dans un miroir, efforcez-vous de voir, par-delà la masse de chair qui se dessine dans la glace, la véritable personne que vous désirez devenir dans votre «coeur». Ce faisant, vous deviendrez une partie utile à toute la communauté des humains; ceci, en plus de vous prémunir contre de nombreuses tensions inutiles et nuisibles.

Cessez donc de vous en faire avec les choses qui sont hors de votre contrôle. Persuadez-vous, ce qui est exact, que tous les yeux de tous les humains ne sont pas constamment sur vous afin de vous examiner et vous juger. Aussi, persuadez-vous que les «autres» ne font pas que penser à VOUS. Chaque individu pense à ses propres affaires, à ce qui peut le rendre plus heureux et satisfaire le plus ses besoins. Les autres êtres de l'espèce humaine ne font pas que penser à VOUS, soyez-en absolument convaincu. Cessez donc une fois pour toutes de penser que tout le monde vous épie, ne pense qu'à vous et qu'en somme, vous êtes le centre d'attraction de toute la pensée humaine. Une fois que vous vous serez bien pénétré de cette conviction, vous verrez comment vos tensions ne tarderont pas à s'envoler comme par enchantement.

Quelle que soit la place que la vie vous a assignée, apprenez à l'aimer, et surtout, apprenez à bien jouer le rôle qui vous a été attribué. Soyez une bonne ménagère, un bon notaire, un bon conducteur de camion, un bon vidangeur ou une bonne secrétaire. Ce n'est qu'en demeurant à votre place et en accomplissant un bon travail que vous serez pleinement apprécié de vos semblables, parce que vous leur serez devenu utile. La chair, la gloire et l'argent ne servent absolument à rien pour l'individu qui fait mal la tâche qui lui a été assignée par la vie. Certes, il est valable de faire des efforts afin d'améliorer son sort, mais malheur à quiconque n'effectue pas bien sa mission une fois qu'il se croit enfin à sa place. De nos jours, trop d'êtres humains refusent de demeurer à leur place, de s'accepter tels qu'ils sont; aussi, ne manquons-nous pas de constater que beaucoup d'êtres humains subissent un flot de tensions inutiles qui leur seraient épargnées s'ils apprenaient à demeurer à leur place et cessaient de se prendre trop au sérieux.

Quoi de mieux que de terminer ce chapitre avec ces paroles pleines de signification tirées de l'Ecclésiaste: «Je me suis retourné pour voir sous le soleil que ce n'est pas aux hommes rapides qu'appartient la course, ni aux puissants la bataille, et non plus aux sages la nourriture, et non plus aux intelligents la richesse, et que ce n'est pas à ceux qui ont de la connaissance qu'appartient la faveur, car temps et événements imprévus leur arrivent à tous.» Pensez donc à ces sages paroles la prochaine fois que l'idée vous viendra de vous prendre un peu trop au sérieux et de ne pas avoir une juste opinion de VOUS-MEME.

33

Allez-y!
Souriez à la vie et
elle vous sourira

Si vous avez pris soin de lire ce livre, c'est sans doute parce que vous voulez profiter pleinement de tout le bonheur que la vie tient en réserve pour vous. Et le meilleur moyen de pouvoir profiter pleinement de tout ce bonheur que vous réservent les années futures, celles qui s'ouvrent devant vous, c'est de commencer, dès MAINTE-NANT, à ajuster votre allure de vie au rythme de l'univers qui vous entoure. Et lorsque vous vous attardez à la contemplation de tout le merveilleux spectacle de la création, animée ou inanimée, qu'est-ce qui vous apparaît le plus évident? N'est-ce pas le fait d'être témoin de tout ce merveilleux équilibre qui caractérise notre univers dans ses moindres détails? Oui, l'équilibre! Sans cet équilibre, qui sert à la fois d'assise et de frontière à la création tout entière, aucune espèce de coexistence ne serait possible et tout ne serait que chaos dans notre immense univers où tout est en perpétuel mouvement.

Pour vivre heureux, pour vivre calmement, pour vivre vraiment, pour être en mesure de profiter pleinement et raisonnablement de tout ce qui vous entoure, vous vous devez de synchroniser votre existence personnelle à ce merveilleux équilibre que vous ne manquerez certainement pas de découvrir si vous êtes le moindrement observateur. L'équilibre: voilà ce qui vous permettra de pouvoir profiter pleinement de chacun des jours de votre vie, et aussi de mordre à belles dents dans cette existence de bonheur qui s'ouvre devant vous.

Comment est-il possible de parvenir à cet état d'équilibre? C'est simple. Il faut d'abord vous y mettre sérieusement, afin de cultiver cet équilibre, soit en appliquant dans votre vie de tous les jours les quelques recettes qui sont proposées dans le présent chapitre.

EQUILIBREZ VOS EMOTIONS

Les statistiques prouvent que les gens mariés vivent plus longtemps que les célibataires. La raison en est que pour eux, les émotions sont mieux équilibrées et les habitudes et attitudes de vie sont plus régulières, plus stables et moins perturbées.

Le meilleur moyen d'équilibrer vos émotions, c'est de redevenir amoureux de la vie une seconde fois. Lorsque vous étiez jeune, n'est-ce pas l'amour pour vos parents et pour vos professeurs, bien plus que votre jugement ou votre raisonnement, qui vous incitait à travailler à l'école? Car dans l'âge de la jeunesse, c'est l'amour de la famille, l'amour de la puissance, l'amour de la gloire, l'amour du succès qui sont les forces émotionnelles de la jeunesse. Mais vient vite un âge où ces diverses sortes d'amour émotionnel ne suffisent plus à donner un sens à la vie, et il faut des incitations beaucoup plus profondes et plus puissantes pour permettre à un individu de continuer à oeuvrer et à agir. C'est aussi ce qui se passe dans le domaine conjugal. Durant les premières années de vie commune, l'amour émotionnel de l'âge de la jeunesse suffit souvent, à lui seul, pour contribuer au bonheur des conjoints. Mais il vient un temps, ou un âge, où l'amour émotionnel ne suffit plus pour pouvoir garder unies les structures du mariage, et c'est à ce moment-là que doivent intervenir d'autres processus afin de permettre à une union de survivre. Au début, tout est «tout feu, tout flammes»; mais après que l'enthousiasme émotionnel de la découverte s'est apaisé, il faut, pour assurer la stabilité et la prolongation d'une union, faire intervenir les valeurs plus profondes et plus raisonnables qui se trouvent à l'intérieur même de deux êtres.

Si les statistiques démontrent que le mariage à un âge un peu avancé a plus de chances de survivre que le mariage jeune, c'est parce qu'il est mélangé de raison, d'amour et d'amitié; et non exclusivement basé sur l'amour émotionnel de l'âge de la jeunesse, ce qui constitue une assise bien fragile quand le cap de cet âge-là est dépassé.

En somme, les mariages de l'âge de la maturité ont plus de chances de succès parce qu'ils sont plus équilibrés. C'est aussi le même équilibre qui intervient pour assurer la durée d'une union conjugale. Si le nombre des divorces est beaucoup plus bas chez les couples qui ont plus de quinze années de vie commune, la raison en est qu'après un certain temps, l'amour conjugal devient moins fougueux et moins émotionnel; plus réaliste, plus raisonnable, et aussi parce qu'il présente moins de problèmes financiers.

Si c'est l'équilibre qui permet à une union de survivre aux années difficiles de certains caps de la coexistence à franchir, le même équilibre peut aussi intervenir pour vous permettre de sourire de nouveau à la vie qui s'ouvre devant vous; et cela, même si les nombreuses difficultés de l'âge émotionnel déraisonnable paraissent avoir miné votre joie de vivre et votre bonheur à ses assises même. Apprenez à équilibrer vos émotions en redevenant amoureux de la vie une deuxième fois. Combien de couples, chez qui l'arrangement conjugal était au bord de la faillite, ont pu ainsi sauver leur union et leur bonheur tout simplement en effectuant une «seconde lune de miel». Dans leur cas, même si l'amour émotionnel et la fougue de la jeunesse faisaient défaut, l'équilibre apporté par l'âge raisonnable a largement compensé, et a permis, grâce au judicieux concours de la seconde lune de miel, d'ouvrir la voie vers de nouveaux horizons de joies et de nouveaux bonheurs jusqu'alors insoupçonnés.

Faites donc vous aussi une seconde lune de miel avec la vie. Et même si l'ardeur de l'âge de la jeunesse vous fait défaut, comblez cette carence par la maturité raisonnable de l'âge adulte. Et comment redevient-on amoureux de la vie? En agissant comme deux conjoints qui redeviennent amoureux l'un de l'autre durant une seconde lune de miel; soit en apprenant à voir, au-delà du voile de l'amour émotionnel, les belles qualités de la personnalité secrète du coeur. C'est un peu comme s'il s'agissait de la découverte d'un trésor qui était pourtant toujours à portée de la main, mais qu'un aveuglement émotionnel empêchait tout simplement de voir, ou de considérer à sa juste valeur.

C'est en agissant ainsi qu'on redevient amoureux de la vie. Si vous pensez que la vie n'a plus d'attrait pour vous, ouvrez les yeux de l'âge raisonnable de la maturité et établissez, sur une feuille de papier, un bref inventaire des belles choses que la vie vous a dèjà procurées et vous procure toujours présentement. Agissez comme ce couple qui, après de nombreuses années de querelles et de mésententes avait finalement décidé de consulter un avocat pour divorcer. Mais l'avocat, sage conseiller s'il en fût, demanda à ces conjoints, avant de dresser la liste des griefs qui seraient mentionnés sur l'acte de divorce, de s'isoler dans deux pièces différentes et d'inscrire sur une feuille de papier au moins trois qualités qui avaient incité ces deux personnes à unir leurs destinées par les liens sacrés du mariage. Après environ deux heures d'isolement et de réflexion, les deux conjoints sortirent des pièces où ils se trouvaient, et avant même de mentionner quoi que ce soit à l'avocat, ils tombèrent dans les bras l'un de l'autre et pleurèrent de joie et de peine à la fois. Ils étaient tout près d'un trésor réciproque qu'un égoïsme émotionnel avait failli leur faire perdre. Cet homme et cette femme comprirent la leçon salutaire de l'avocat et depuis cet événement, ils vivent un bonheur conjugal jusque-là insoupçonné. Le secret? Il n'y en a pas de secret. Les deux conjoints ont tout simplement laissé tomber le voile émotionnel qui les aveuglait et sont redevenus amoureux l'un de l'autre.

Si vous éprouvez de la difficulté à redevenir amoureux de la vie, pensez un instant à tous ces aveugles, ces sourds et muets, ces démunis mentaux, ces pauvres, ces affamés de notre planète. Isolez-vous et dressez une liste des belles qualités de la vie, soit des nombreux dons qu'elle vous fournit si généreusement: l'oxygène que vous respirez quotidiennement, la pluie qui vous assure une alimentation constante, le soleil qui vous réchauffe, l'eau que vous buvez, le petit enfant qui vous enchante par ses premiers rires, ou qui vous tend affectueusement les bras, le chant matinal des petits oiseaux, le bruit d'un ruisseau ou de la branche qui craque lors de vos randonnées en forêt, et combien d'autres merveilleux dons vous sont si généreusement fournis par la vie.

Apprenez donc à équilibrer vos émotions en redevenant amoureux de la vie. Et comme l'amour est une émotion, équilibrez votre amour de la vie en l'assortissant de la même raison et de la même maturité qui permet à une union conjugale de reprendre un nouveau départ vers un bonheur plus stable, durable, raisonné et mûr; qualités si essentielles dans la seconde partie de l'existence.

EQUILIBREZ VOTRE PERSONNALITE

Tout comme il y a deux côtés dans votre corps, le gauche et le droit, il y a aussi deux aspects de votre personnalité. Votre personnalité est constituée d'un actif et d'un passif, c'est-à-dire que vous donnez et que vous recevez.

Durant le temps de vie que vous avez vécu jusqu'à présent, vous avez développé une certaine personnalité. Si vous êtes une personne habituée à recevoir constamment sans trop vous soucier d'autrui ou de l'importance de donner, vous avez développé le côté gauche de votre personnalité, soit le passif. Par contre, si vous avez toujours lutté dans la vie et que vous n'avez cessé de donner de votre temps, de votre dévouement, de votre attention, de vos efforts et de votre affection à vos semblables en vous dépensant sans compter pour le plus grand bien-être des autres, sans trop penser à vous-même; que vous vous êtes dépensé autant pour les membres de votre famille que pour le reste de l'humanité, vous avez donc développé le côté droit de votre personnalité, soit l'actif.

Depuis votre plus tendre enfance, vous avez développé un côté ou l'autre de votre personnalité, soit l'actif ou le passif; et bien rares sont les personnes qui sont parvenues à l'âge de la maturité avec les deux côtés de leur personnalité parfaitement, ou même, raisonnablement équilibrés.

Mais peu importe le côté de votre personnalité que vous avez développé jusqu'à présent, que ce soit le gauche ou le droit, l'actif ou le passif, c'est MAINTENANT le moment de tourner une page du livre de votre vie, et pour que vous soyez en mesure de pouvoir profiter pleinement de tout le bonheur futur que vous réserve votre nouvelle existence, à partir de MAINTENANT, il vous faut apprendre à équilibrer TOUTE votre personnalité, soit les deux côtés: l'actif et le passif, le gauche et le droit.

Si jusqu'à présent, votre principale préoccupation a été de ne penser qu'à vous, qu'à votre bien-être personnel et d'accumuler le plus de possessions possibles; ou encore de ne penser qu'à voyager afin de satisfaire votre soif de nouvelles connaissances, et aussi d'accumuler tout l'argent que votre agressivité vous a permis de gagner, vous vous devez, MAINTENANT, d'apprendre à équilibrer votre personnalité en développant l'autre côté, c'est-à-dire l'actif. Puisque jusqu'à présent, vous n'avez fait que penser à vous-même et à tout ce qui pouvait vous procurer le plus d'agrément possible, vous avez donc développé une personnalité passive vis-à-vis de vos semblables.

Votre jeunesse émotionnelle vous a peut-être permis de survivre jusqu'à ce jour sans avoir besoin des autres, ni de leur affection ou de leur compréhension. Mais maintenant que vous n'avez peut-être plus cet âge de la jeunesse, vous aurez désormais besoin, pour survivre, de l'amour, de l'attention, de l'affection et de la compréhension d'autrui. Voilà ce qui vous sera absolument nécessaire si vous voulez vivre la seconde partie de votre existence dans le bonheur et la joie, et surtout, en étant à l'abri de cette solitude si répandue de nos jours chez ceux qui, pourtant, auraient le plus besoin d'attention, d'affection et de compréhension.

Etant donné que vous aurez grandement besoin du côté «actif» de votre personnalité pour survivre, pour vivre pleinement et non pas simplement exister, commencez MAINTENANT à équilibrer votre personnalité en vous habituant à penser un peu plus aux autres, en étant plus attentif à leurs besoins d'amour, d'attention, d'affection et de compréhension. Sacrifiez un peu de votre temps afin de faire apparaître un sourire sur le visage d'une personne qui ne sait plus sourire. N'oubliez pas qu'il est une loi de la nature qui atteste que l'on reçoit toujours dans la mesure où l'on a donné; et si vous n'avez jamais donné d'attention aux autres, comment vous sera-t-il possible de vous attendre d'en recevoir lorsque le besoin se fera sentir?

Si une personne ne s'est jamais préoccupée de déposer quelques économies en banque, comment lui sera-t-il possible d'avoir accès à une certaine somme d'argent quand une nécessité urgente surviendra? Donc, si à partir de MAINTE-NANT, vous vous occupez de développer le côté «actif» de votre personnalité, vous pouvez vous attendre, lorsque le besoin se fera sentir, de recevoir toute l'attention, l'affection et la compré-hension dont vous aurez besoin. Dans ce domaine comme dans tous les autres de la vie, la loi immuable qui consiste à toujours s'attendre de récolter ce que l'on a semé s'appliquera, soyez-en persuadé. Et un jour, le besoin d'attention, d'affection et de compréhension se fera sentir; car, qui que nous soyons, nous ne sommes nullement à l'abri des difficultés, de la maladie, de la misère et de la vieillesse. Et si vous en doutez, parlez-en avec les gens âgés: ils sauront bien vous l'expliquer, eux.

Par contre, si jusqu'à présent vous n'avez développé que le côté «actif» de votre personnali-té, soit en vous dépensant sans compter et en vous donnant continuellement pour les vôtres et tous vos semblables, il est MAINTENANT temps d'équilibrer votre personnalité en pensant à développer un peu plus le côté passif de celle-ci. Si vous ne le faites pas, vous vous priverez alors inutilement d'un bonheur et d'une joie de vivre encore insoupçonnés jusqu'à présent.

Que dire d'un homme qui n'a fait qu'accumuler des économies en banque durant toute son existence en se privant parfois même du strict nécessaire; et qui, durant l'âge de la vieillesse, refuserait d'utiliser ses nombreuses économies afin de profiter un peu de sa longue vie de durs labeurs et de sacrifices, même si le besoin se fait sentir? Ce serait, de la part d'un tel homme, faire preuve d'un manque d'équilibre. Ainsi, étant donné que vous vous êtes tellement dévoué pour les autres jusqu'à présent et que vous vous êtes constitué un solide actif dans la banque de votre personnalité, commencez MAINTENANT à équilibrer votre personnalité en exploitant sagement et raisonnablement le côté passif de celle-ci; ceci, afin de pouvoir profiter pleinement de cette nouvelle vie qui s'ouvre devant vous.

Si, jusqu'à présent, la vie que vous avez vécue a été exclusivement occupée par les choses d'ordre intellectuel ou spirituel, équilibrez votre personnalité en vous intéressant un peu plus au côté matériel de la vie, soit en vous mettant un peu d'argent de côté pour vous payer enfin le voyage que le côté spirituel ou intellectuel de votre personnalité vous interdisait de faire. Ou encore, intéressez-vous un peu plus au bricolage, au sport, au jardinage, au jeu ou à toute autre activité qui est un peu plus du domaine matériel. Cet équilibre des deux côtés de votre personnalité vous permettra de vivre plus pleinement et de profiter plus abondamment des nombreux dons que la vie tient en réserve pour vous; ceci, tout en vous assurant un mode de vie calme et plus harmonieux.

Dans quelque domaine que ce soit, il importe que vous appreniez, dès MAINTENANT, à équilibrer les deux aspects de votre personnalité, soit le gauche et le droit, l'actif et le passif. C'est très important de le faire, et même essentiel, si vous voulez être en mesure de sourire à la vie afin qu'en retour, elle vous renvoie pleinement votre sourire, et beaucoup de bonheur avec.

Si vous avez toujours été convaincu de pouvoir vous suffire à vous-même, efforcez-vous maintenant de dépendre un peu plus sur les autres. Si vous avez toujours donné sans jamais rien espérer recevoir en retour, habituez-vous maintenant à recevoir. Si vous avez toujours dominé les autres lors des conversations, apprenez maintenant à écouter les autres. Si vous avez toujours été une personne sérieuse, apprenez maintenant à développer le côté frivole de votre caractère. Si vous avez toujours été isolé, commencez maintenant à sortir un peu plus et à fréquenter les autres. Si vous avez toujours été conservateur et avez constamment eu peur du risque, commencez donc à «risquer» une première visite amicale chez votre voisin. Si vous avez toujours été tendu à cause de votre ponctualité maladive, arrivez donc cinq minutes en retard à votre prochain rendez-vous. Agissez ainsi et vous verrez jusqu'à quel point vous apprendrez à vous détendre en apprenant à côtoyer ce côté jusqu'ici inexploré de votre personnalité.

Quel que soit le côté de votre personnalité qui a prévalu jusqu'à présent, apprenez MAINTENANT à équilibrer raisonnablement TOUTE votre personnalité; à développer l'autre côté, soit celui qui est toujours demeuré discrètement caché. En équilibrant ainsi votre personnalité, soit en utilisant raisonnablement le côté gauche et le côté droit, l'actif et le passif, vous ne manquerez pas d'éveiller de nouvelles sources, jusqu'alors insoupçonnées, de vos possibilités; source de nouvelles idées, source de nouveaux arts, source de nouvelles conquêtes, source de nouvelles carrières, et combien d'autres sources d'énergies enfouies, toutes prêtes à jaillir du côté caché de votre personnalité, soit celui que vous n'avez pas encore osé développer jusqu'à date.

N'oubliez pas qu'il n'y a que les vieilles filles pour toujours faire les mêmes choses aux mêmes moments. A partir de MAINTENANT, efforcez-vous de mettre en valeur le côté non développé ni utilisé de votre personnalité jusqu'à présent, soit le gauche ou le droit, l'actif ou le passif. Faites-le en apprenant à équilibrer TOUTE votre personnalité. Ce faisant, une merveilleuse nouvelle vie, jusqu'alors insoupçonnée, s'ouvrira devant vous; une nouvelle vie remplie d'agréables découvertes et de joyeuses réalisations.

EQUILIBREZ VOTRE VIE

Si le secret de la santé réside dans un régime alimentaire équilibré et que le secret d'une belle apparence est une circulation du sang équilibrée, le secret d'une vie équilibrée est... une existence de tous les jours équilibrée.

Considérez votre vie comme un livre. Un livre qui compte une page pour chaque jour. En vous basant sur une longueur de vie de cent ans, ce qui est tout à fait réalisable lorsque la vie est harmonieusement, calmement et raisonnablement vécue, le livre de votre vie renferme donc 36,500 pages.

Pour qu'un livre soit intéressant et agréable à lire, il faut que chacune de ses pages renferme un point quelconque qui puisse capter l'intérêt du lecteur. Combien de fois suspend-on la lecture d'un livre tout simplement parce que la lecture de certaines pages est trop monotone. Par contre, nous éprouvons toujours de la difficulté à nous arracher à un livre dont chacune des pages ne cesse de nous captiver.

Il en est ainsi du livre de votre vie. Si chacune de ses pages, soit chacun des jours de votre existence, renferme au moins un point intéressant, c'est la lecture de tout le livre, ou toute votre existence, qui deviendra captivante à lire ou à vivre. Apprenez à équilibrer votre vie en faisant en sorte qu'une action agréable et intéressante vienne s'inscrire dans chacun des jours de votre existence. De cette façon, c'est toute votre vie, ou tout le livre de votre vie, qui deviendra intéressant et captivant à lire ou à vivre.

Si la lecture du livre de votre vie a été monotone jusqu'à présent, vous n'avez pas besoin d'en suspendre la lecture; vous n'avez pas besoin de cesser de vivre. N'oubliez pas que le livre de votre vie, lui, n'est pas écrit à l'avance; c'est vous qui en êtes l'auteur en y inscrivant, sur chacune de ses pages, le récit des actions quotidiennes. Ainsi, vous pouvez donc, à partir de MAINTE-NANT, faire en sorte que chaque nouvelle page à venir soit marquée d'un point digne d'intérêt. Oui, le livre de toute votre vie, c'est vous qui en êtes l'auteur, et c'est vous qui en êtes le lecteur. Si vous voulez que les pages et les chapitres de votre livre de vie soient intéressants et captivants à vivre, il n'en dépend que de vous. Si les pages et les chapitres que vous écrivez à partir de MAINTENANT sont harmonieux, fascinants et équilibrés, vous ne manquerez pas de connaître une nouvelle vie qui sera, elle aussi, harmonieuse, captivante et équilibrée. En somme, vous éprou-verez toujours beaucoup de joie à tourner les pages à venir afin d'en savourer pleinement la lecture. Et lorsque vous arriverez à la conclusion du livre de votre vie, elle se terminera bien elle aussi; tout comme les bons livres ou les bons films qui finissent bien.

CONDUISEZ BIEN VOTRE VIE

Qu'il est agréable et reposant de se laisser conduire en voiture quand c'est un conducteur raisonnable, sage et prudent qui est au volant. On se sent toujours en sécurité entre les mains d'un tel conducteur. VOUS êtes le conducteur de votre vie, et si vous tenez à vous sentir en sécurité et détendu dans la balade de votre existence, il vous faut apprendre à bien conduire le véhicule qui vous permettra de franchir les diverses étapes du voyage de votre vie.

Combien d'accidents malheureux de la circulation sont causés par des chauffards qui n'ont aucun respect pour leur vie, ni pour la vie et la propriété d'autrui. Il en est de même sur la route de la vie. Combien de vies déréglées, malheureuses et tendues sont conduites, ou vécues, par des personnes qui n'ont aucune maîtrise sur le véhicule de leur vie.

Voici de quelle façon un bon conducteur doit mener le véhicule de sa vie:

1) Apprenez à diriger et à guider votre vie au lieu de vous laisser guider et entraîner par les événements du hasard. Apprenez à maîtriser votre comportement, vos émotions et votre caractère dans les divers tournants des obstacles, difficultés et tentations de votre vie;

2) Comme un bon conducteur qui sait toujours où il va, apprenez vous aussi à toujours définir clairement l'endroit exact où vous voulez aller. Avant d'aller quelque part, soit d'entreprendre un projet, ou encore de vous lancer dans une nouvelle aventure, vérifiez toujours l'état des routes, et aussi si le voyage en vaut vraiment la peine. Ne risquez pas de vous enliser dans la boue, d'abîmer votre véhicule, ou de vous aventurer dans une voie sans issue ou de non-retour;

3) Comme un bon conducteur qui respecte les lois de la route, soit les limites de la vitesse, les arrêts obligatoires, apprenez vous aussi à respecter les lois du code de la route de votre vie; soit savoir ralentir dans certaines courbes, marquer des temps d'arrêt, ne pas doubler dans les tournants dangereux, etc.;

4) Un bon conducteur a toujours beaucoup de respect et témoigne sans cesse des égards envers les autres conducteurs. Par exemple, la nuit, il prend soin de baisser les phares de son véhicule afin de ne pas aveugler les autres conducteurs qui s'en viennent en sens inverse. Il laisse la voie libre aux autres véhicules qui ont la priorité de passage, et il n'hésite pas à offrir son aide aux conducteurs qui éprouvent certaines difficultés avec leurs véhicules, ou qui sont en panne. Vous aussi, dans la conduite de votre vie, apprenez à coopérer avec autrui.

Si vous apprenez à bien conduire le véhicule de votre vie, soit la maîtrise totale de votre vie, vous ne risquerez pas de subir un accident malheureux, ni à perdre un temps précieux à la recherche de votre route. Apprenez à bien conduire TOUTE votre vie et vous constaterez jusqu'à quel point vous vous sentirez en sécurité entre les mains d'un tel conducteur sage et prudent, c'est-à-dire entre vos propres mains.

Vous voulez que la vie vous envoie son plus chaleureux sourire en vous permettant de goûter à tout ce qu'elle a de bon à offrir? Si oui, commencez d'abord par lui sourire en apprenant, dès MAINTENANT, à équilibrer vos émotions, à équilibrer votre personnalité, à équilibrer votre vie et aussi, à bien conduire votre vie. C'est en vous y mettant, dès MAINTENANT, afin de cultiver et de parvenir à cet équilibre, qui fera de votre vie une merveilleuse aventure qui vaudra la peine d'être vécue.

Conclusion

Nous voici maintenant arrivés au terme de ce livre, ce livre que j'ai eu beaucoup de plaisir et de joie à rédiger tout au long de ces dernières années. Ce livre, c'est votre PASSEPORT POUR UNE VIE NOUVELLE, votre passeport qui vous permettra de réaliser jusqu'à quel point la vie peut s'avérer être belle et une passionnante aventure lorsqu'on s'efforce d'ajuster son allure de vie au rythme merveilleusement équilibré de tout l'univers qui nous entoure; rythme équilibré qu'on ne manque pas de déceler quand on se met attentivement à l'écoute de la vie qui bat autour de chacun de nous; et surtout, lorsqu'on s'applique à respirer et à sentir profondément tout ce bonheur qui est à notre portée à tous, bonheur qui ne demande pas mieux que d'être cueilli et savouré.

Comme vous l'avez constaté en examinant chacun des chapitres de ce livre, la plupart de nos tensions, de nos problèmes et de nos difficultés permanentes ou passagères ne sont, bien souvent, que le triste résultat d'une vie mal comprise ou mal vécue. Et dès qu'on s'applique à ajuster notre vie aux principes simples et raisonnables de la vie, lesquels principes sont largement exposés dans tous les chapitres du présent ouvrage, on ne tarde pas à comprendre et à réaliser jusqu'à quel point il est agréable de vivre lorsqu'on apprend enfin à vivre de la bonne façon, soit de la façon voulue par l'Auteur de notre vie.

Je termine cet ouvrage par la citation d'un extrait de l'excellent livre de Gayelord Hauser, lequel livre a pour titre «Vivez jeune, vivez longtemps.» Cette citation, que ce grand auteur a pris soin d'inclure dans son précis traitant de la santé et de la longévité, m'a toujours beaucoup fasciné et impressionné, et je suis persuadé qu'il en sera ainsi pour vous, ami lecteur.

«Quels sont les attributs de la jeunesse? Il y en a de bons et de mauvais. Les bons sont le courage, la curiosité, l'enthousiasme; les mauvais sont l'ignorance, l'égocentrisme, la présomption.

Quels sont les attributs de la maturité? Il y en a de même de bons et de mauvais. Les bons sont la prudence, la sagesse, l'objectivité; les mauvais sont la timidité, l'intolérance, la peur du changement.

Examinez ces attributs, les bons et les mauvais. Que constatez-vous? Vous voyez que sur bien des points vous êtes toujours jeune et que sur bien d'autres vous avez toujours été vieux; vous avez à la fois, dans votre vie, été jeune et vieux. Maintenant débarrassez-vous de tous les mauvais attributs de la jeunesse et de la maturité. Faites une liste des bons et prenez la résolution de régler votre vie désormais de façon à supprimer tous les mauvais et à développer les bons. Le philosophe français Bergson a dit: «EXISTER c'est changer, changer c'est mûrir, mûrir c'est continuer à se créer sans fin».

Table des matières